Collection
*"Une vision inédite de votre signe astral"* :

**Bélier** (21 mars – 20 avril)
**Taureau** (21 avril – 20 mai)
**Gémeaux** (21 mai – 21 juin)
**Cancer** (22 juin – 22 juillet)
**Lion** (23 juillet – 22 août)
**Vierge** (23 août – 22 septembre)
**Balance** (23 septembre – 22 octobre)
**Scorpion** (23 octobre – 22 novembre)
**Sagittaire** (23 novembre – 21 décembre)
**Capricorne** (22 décembre – 19 janvier)
**Verseau** (20 janvier – 18 février)
**Poissons** (19 février – 20 mars)

*Le Mois d'avril,* extrait du *Calendrier des Bergers.*
(XVIᵉ siècle ; bibliothèque des Arts décoratifs, Paris.)

# Bélier

## (21 mars – 20 avril)

*"Une vision inédite de votre signe astral"*

### L'AUTEUR :

Aline Apostolska est née en 1961, dans l'ancienne Yougoslavie. Depuis sa naissance, de multiples voyages l'ont entraînée vers d'autres pays, d'autres cultures. Macédonienne, elle se dit volontiers apatride et européenne, ce qui explique sa quête continuelle des mystères universels et immuables de l'humanité.

Après une maîtrise d'histoire contemporaine, elle devient journaliste culturelle *(Globe, City...),* tout en poursuivant des recherches astrologiques en relation avec la mythologie mondiale, le symbolisme, la psychologie. Les grands médias sollicitent sa collaboration en vue d'une rénovation en profondeur de l'image astrologique : rubriques astrologiques de *Lui* (1986-1988), de R.T.L. (chronique matinale, été 1989), de *Femme actuelle* (1990-1991), de *Votre beauté* (1991) et interviews pour *les Saisons de la danse* (depuis 1991).

Reconnue comme une figure d'avant-garde dans les milieux astrologiques, elle assure aujourd'hui des conférences, stages et séminaires d'astrologie et de symbolisme à travers le monde (France, D.O.M.-T.O.M., Belgique, Italie, Egypte...). Parallèlement, elle est directrice de collections aux Editions Dangles et aux Editions du Rocher.

Elle est, de plus, l'auteur de plusieurs ouvrages :

– *Etoile-moi, comment les séduire signe par signe* (Calmann-Lévy, 1987).

– *Sous le signe des étoiles. Relations astrologiques entre parents et enfants* (Balland, 1989).

– *Mille et mille Lunes* (Mercure de France, 1992).

– *Lunes noires, la porte de l'absolu* (Mercure de France, 1994).

# Aline Apostolska

# Bélier

## (21 mars – 20 avril)

Troisième édition

## Editions Dangles
18, rue Lavoisier
45800 ST-JEAN-DE-BRAYE

Représentation du Bélier, extraite du célèbre
*Liber Astrologicæ* (manuscrit latin du XIVe siècle).
(Bibliothèque nationale, Paris.)

ISBN : 2-7033-0400-5

© Editions Dangles, St-Jean-de-Braye (France) – 1994

Le Bélier (miniature des *Heures* de Rohan, xvᵉ siècle).
(Bibliothèque nationale, Paris.)

« *Seigneur, s'écria Moïse, vous m'avez fait puissant et solitaire...* »

Alfred de Vigny.

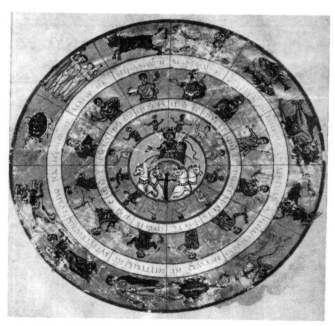

Le Tetrabiblos de Ptolémée, grâce auquel se conserva le savoir astrologique. Il représente le Soleil et les douze signes du zodiaque (art byzantin, 820 apr. J.-C.).

(Bibliothèque du Vatican.)

# Introduction

Astrologie (1)… le mot est lâché et, dès qu'on l'a prononcé, le public se scinde en deux catégories distinctes : « *ceux qui savent* » et « *ceux qui croient* ».

— « *Ceux qui croient* » croient en l'horoscope (2), c'est-à-dire en une lecture parcellaire d'un hypothétique « Destin » écrit et déterminé une fois pour toutes, et qui nous éviterait une fastidieuse investigation personnelle ainsi qu'un véritable travail de prise de conscience et d'autotransformation.

— « *Ceux qui savent* », donc les astrologues ou ceux qui ont acquis un savoir symbolique et ésotérique, regardent « *ceux qui croient* » avec la hauteur qui sied à qui veut jauger l'étendue de son champ d'action. Ceux-là se comportent comme les véritables détenteurs de la « vraie » astrologie, celle qui demande une culture vaste et hétéroclite, du recul et un **indispensable amour de son prochain.**

**L'astrologie implique donc toujours l'exercice d'un pouvoir.** Peut-être que, pour tous ceux qui – à un moment ou un autre de leur vie – entrent dans une demande de reconnaissance et de pouvoir, le premier travail à effectuer reste de savoir pour *quoi*, pour *qui* et *comment* cet exercice peut légitimement se faire.

Alors, à quoi sert donc l'astrologie ? Essayons d'abord de la définir.

---

1. Astrologie : du grec *astron* (astre) et *logos* (langage) signifie « le langage des astres ».
2. Horoscope : du grec *horoskôpos*, qui « considère l'heure de la naissance ».

# 1. Vous avez dit « astrologie » ?...

## a) Le rapport au Cosmos

*« L'astrologie est la plus grandiose tentative d'une vision systématique et constructive du monde jamais conçue par l'esprit humain. »* C'est à cette définition de Wilhelm Knappich (3) que je me réfère le plus volontiers. Elle place d'emblée le sujet à sa juste dimension et offre une vision vaste des rapports qui relient l'être humain au Cosmos qui le contient et qu'il contient lui-même, puisqu'il est composé des mêmes matériaux que ces lointaines étoiles qu'il regarde avec toujours autant d'admiration et d'envie.

Ce rapport à une loi cosmique, qui semble s'accomplir sans que l'être humain puisse y participer autrement qu'en la subissant, constitue la dynamique centrale et principale du désir d'évolution. Cette confrontation quotidienne de l'homme minuscule à ce Majuscule qui le fascine existe depuis que le premier humain a levé les yeux au ciel et que cette *« tension vers le haut* (4) »* l'a propulsé dans une démarche de progrès sans fin.

L'astrologie, système conceptuel *poétique* (qui parle par images s'adressant à l'imaginaire) et *symbolique* (qui met ces images en ordre et leur donne un sens), demeure **le plus vaste outil dont l'homme se soit jamais doté pour tenter de comprendre son rapport à l'infiniment grand** et aiguiser ses capacités de maîtrise des énergies qui l'environnent et qu'il refuse de subir.

---

3. Voir, de Wilhelm Knappich : *Histoire de l'astrologie* (Editions Vernal-Lebaud).
4. Les « Très-Hauts » étant les dieux qui, chez les Anciens, donnèrent leurs noms aux planètes.

Autel romain représentant les têtes des douze dieux
de l'Olympe (Antikenmuseum, Berlin).

### b) Un pont entre Visible et Invisible

La pertinence et l'universalité de l'astrologie – parmi tant d'autres systèmes conceptuels – demeurent aujourd'hui avec autant de clarté et de spécificité. Elle reste indétrônée, irremplacée, certes complétée par d'autres symboles mais jamais réduite à eux, car les outils dont elle s'est dotée – il y a plus de 4 000 ans – sont, d'après C. G. Jung, « *les archétypes les plus immuables de l'inconscient collectif, archétypes que les générations se transmettent à l'intérieur d'une même civilisation* ».

Cette pertinence et cette universalité sont de nos jours créditées par cette même science qui, jusqu'à hier, au plus fort des matérialistes années 60, était la première à nier l'astrologie. Les dernières conclusions de la physique quantique mettent largement en avant les preuves de l'importance de l'*immatériel* dans la prise de forme physique des organismes vivants. On y retrouve cette dimension primordiale à laquelle nous ont toujours invités les religions, autant que les philosophies mystiques, d'un Visible qui procède de l'Invisible et de la matière créée par l'énergie de l'Esprit…

Dans la lecture qu'elle nous offre effectivement de l'homme et de ses rapports avec son environnement le plus large, l'astrologie jette bien un pont entre Visible et Invisible ; elle permet d'embrasser l'espace-temps d'une vie terrestre en en pointant le centre. Tel un mandala énergétique, un thème astrologique permet de faire le point des **dynamiques motrices** dont un individu est à la fois l'acteur et la scène, et donne la possibilité d'en tirer le meilleur parti, dans tous ses domaines existentiels.

### c) Se connaître pour s'aimer et se respecter

Loin d'être une lecture du « destin » dans le pire sens – inévitable et punitif – du terme (5), l'astrologie offre d'abord la possibilité de se connaître mieux, dans ce que l'on a d'*unique* et d'*irremplaçable.* Elle aide à cerner de plus près ce pour quoi « l'on est fait » puis, à partir d'une telle évaluation générale des forces en présence, elle aide à trouver un meilleur équilibre, un sens harmonieux et vivable entre l'*inné* et l'*acquis,* entre le *potentiel* et le *vécu.* L'astrologie a pour ambition de nous permettre de **mieux nous comprendre pour mieux nous aimer, et ainsi d'évoluer en harmonie.**

---

5. « *Le destin est la marque de l'inconscient qui imprime sa loi sur une vie* » (Lou Andréas Salomé).

L'astrologie occidentale devient solaire. Ici, Akhenaton,
pharaon égyptien, offrant un sacrifice au dieu-soleil Aton.

(Musée du Caire.)

## d) L'astrologie prédit-elle l'avenir ?

Mieux se connaître, éclairer, orienter, maîtriser les divers domaines de sa vie, en même temps que s'harmoniser avec les dynamiques cosmiques, voilà ce que permet l'astrologie occidentale. Est-elle pour autant prédictive ?

Rappelons qu'au début l'astrologie donna naissance à l'astronomie, puisque c'est avec elle que débuta l'observation quotidienne du ciel. Puis elles se séparèrent inexorablement jusqu'à ce que Colbert – au XVIIe siècle – exclue définitivement l'astrologie de l'Académie des sciences. Il aura fallu attendre le XXe siècle pour qu'Einstein ose proclamer : « *L'astrologie est une science en soi illuminatrice. J'ai beaucoup appris grâce à elle et je lui dois beaucoup.* »
Sur le plan strictement astronomique, **l'exactitude entre le ciel et les signes astrologiques n'existe effectivement plus depuis longtemps,** mais cela n'enlève rien à la pertinence astrologique qui reste uniquement symbolique. Lorsqu'on parle du Lion, on ne parle pas de la constellation stellaire, mais du symbole et des caractéristiques qui lui sont attribuées.

Cette scission astronomie/astrologie signe la marque de l'Occident qui a ainsi voulu se démarquer d'une idée de « *destinée écrite dans le ciel* ». Ce n'est pas le cas de l'Orient, notamment de l'Inde, où le système astrologique s'est constitué au fil des millénaires dans le respect de l'astronomie. La force de l'astrologie occidentale réside dans sa pertinence *psychologique* et *dynamique,* alors que celle de l'astrologie indienne demeure dans la *prédiction*. En ce sens, elles sont profondément complémentaires, mais n'ont pas le même propos : depuis des millénaires l'astrologie occidentale s'est parfaite comme un **outil d'analyse et d'analo-**

**gie,** alors que l'astrologie indienne a ciselé ses **outils prédictifs.**

Faut-il, pour cela, renier l'astrologie occidentale ? Certes pas. Elle demeure toujours un grand mystère, même et surtout pour *« ceux qui savent »* et en maîtrisent le symbolisme et la technique. L'astrologie, tout occidentale, pour symbolique, psychologique et énergétique qu'elle soit, **continue d'être exacte** lorsqu'il s'agit de s'y référer pour examiner **l'évolution d'une situation.**

Le zodiaque qui ornait le plafond du temple de Dendérah, en moyenne Egypte.

(Bas-relief de l'époque ptolémaïque ; musée du Louvre.)

## e) Une leçon de sagesse et d'humilité

Alors oui, ça marche, mais le mystère demeure entier et c'est tant mieux ! Pour l'homme contemporain, trop prompt à se croire capable de tout appréhender et de tout maîtriser, l'astrologie demeure une leçon quotidienne, à travers l'exemple mille fois répété que « quelque chose échappe à notre condition d'humains »... Quoi que l'on ait appris et compris, lorsque l'horloge cosmique se met en marche elle scande des rythmes que nous ne pourrons jamais prévoir, saisir ni connaître dans leur réalité. Au moment où les choses se passent, on est toujours surpris – ou catastrophé – mais surtout dépassé...

L'astrologue qui dit le contraire et prétend avoir tout su, tout prévu, tout analysé, se lance dans une **gageure d'apprenti sorcier** ou vise un rôle de **gourou de la pire espèce.** Les temps actuels sont trop propices à de critiquables abus de toutes sortes de pouvoirs pour ne pas le rappeler.

L'astrologie permet de savoir beaucoup de choses. Elle est un incomparable **outil de prise de conscience** et de connexion cosmique, mais il demeure toujours ce que l'homme ne connaîtra jamais... Dieu l'en garde !

## 2. Etre d'un signe, qu'est-ce que cela signifie ?

*« Je suis Taureau, tu es Verseau, il est Sagittaire... »*
Au quotidien, l'astrologie s'exprime ainsi. Nul n'ignore son signe solaire, même les jeunes enfants qui s'y réfèrent avant de saisir ce qu'est l'astrologie. On sait moins, par contre, quelle réalité recouvre cette symbolique.

Pour décrypter une personnalité ou une situation, pour saisir les **circulations énergétiques** en place et comprendre – puis orienter – les **dynamiques motrices** spécifiques, l'astrologue est en possession d'outils qu'un vaste savoir – à la fois ésotérique et analogique – autant que des millénaires d'expériences statistiques ont permis de fignoler jusqu'à leur donner la pertinence et la fiabilité actuelles.

### a) Les outils de l'astrologie

Ces outils sont les signes, les planètes, les maisons et quelques points immatériels tels que les nœuds lunaires, la Lune noire, la part de fortune et, éventuellement, les astéroïdes Chiron et Cérès. Les aspects que ces différents points forment entre eux impriment la dynamique générale du thème astral, pointent les forces, les faiblesses et les caractéristiques de la personnalité dans ses différents domaines d'existence.

Considérons un thème astral comme un parcours terrestre précis et imaginons que le potentiel de chacun est un véhicule : les signes donnent la couleur de la carrosserie et les caractéristiques de la marque, les planètes donnent la puissance et les spécificités du moteur, tandis que les maisons permettent de savoir à quel domaine de la vie (personnel, sentimental, professionnel, financier, etc.) s'appliqueront ces caractéristiques.

Le zodiaque et les constellations, avec leurs numéros
et leurs degrés (carte du ciel de Dürer, XIXe siècle).

## b) Les critères principaux pour mieux se connaître

Comme on le voit sur le dessin, un thème astral
met en évidence plusieurs positions planétaires dans
différents signes du zodiaque. Nous sommes tous un
savant – et unique – mélange de différents compo-
sants. Nous roulons tous avec une carrosserie plus ou
moins bariolée ! Bien sûr, pour lire et comprendre le
tout, il faut être astrologue, mais chacun peut facilement, grâce aux nombreux serveurs télématiques

astrologiques ou à des ouvrages de calculs, connaître les éléments essentiels de son thème, pour se référer ensuite aux autres ouvrages de cette collection.

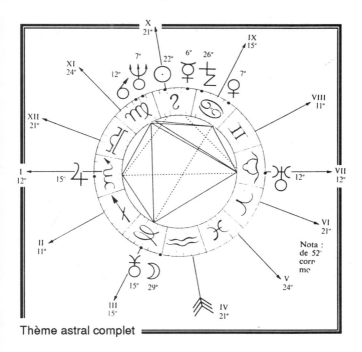

**Thème astral complet**

✧ **Le signe solaire,** celui qui nous fait dire « *Je suis Taureau, Bélier, Vierge...* » et qui est donné par la position du Soleil au moment de notre naissance, caractérise notre Moi extérieur, notre comportement social et productif, nos références paternelles.

✧ **Le signe lunaire** est au moins aussi important que le signe solaire, car il permet de connaître notre

Moi profond, notre sensibilité, notre imaginaire, notre part intime et notre image maternelle. La Lune parle mieux des aspects essentiels de nous-même, au point que certaines astrologies considèrent le signe lunaire comme LE signe véritable. C'est ainsi qu'en Inde, si vous demandez son signe à une personne, elle vous répondra invariablement par son signe lunaire, vous livrant ainsi la « part cachée » d'elle-même… C'est pourquoi il est important d'étudier aussi son signe lunaire si l'on veut mieux se retrouver et se définir.

✧ **L'ascendant :** plus personne, de nos jours, n'ignore qu'il s'agit d'un élément indispensable qui représente notre personnalité innée, celle qui nous place dans l'histoire familiale et dessine les traits exacts de notre identité quotidienne. Sur un plan technique, l'ascendant représente la maison I ; il est donc un *miroir grossissant :* on s'y voit et l'on y est vu. Le connaître est donc également très important.

✧ **La dominante planétaire :** sur les dix planètes et autres points importants d'un thème, il arrive qu'il y en ait plusieurs dans un même signe qui n'est ni celui du Soleil, ni celui de la Lune, ni celui de l'ascendant. Il peut arriver qu'une planète soit particulièrement importante et qu'elle se trouve dans un signe précis. Cette dominante est ordinairement calculée par les serveurs télématiques de qualité, et il suffit alors de se reporter à l'étude du signe de cette dominante.

☉ ☿ ♀ ⚷ ☾ ♂ ♅ ⚹ ♇ ♎ ♃ ♄

Ces différentes approches sont de sûrs moyens de bien utiliser cet outil très élaboré et très subtil qu'est l'astrologie. Sa structure minutieuse la rend parfois complexe et rébarbative pour certains qui préfèrent en rester à leur signe solaire (du moins, dans un premier temps), ou aller consulter un professionnel dans les moments clefs de leur vie. Mais, en astrologie, chacun fait comme il lui plaît, au niveau et au degré qui lui conviennent le mieux.

Comme disait d'elle André Breton, qui l'aimait d'amour fou, *« l'astrologie est une grande dame et une putain… »*. Comme toutes les grandes dames, elle demeure insondable et inaccessible aux *« pauvres vers de terre que nous sommes »* mais, comme les putains, on peut facilement l'aborder en superficie et jouir d'un plaisir légitime et réconfortant parce qu'éphémère…

## 3. La roue du zodiaque

### a) Les signes, 12 étapes pour la conscience

Levant les yeux au ciel, l'homme vit la trace de la projection du Soleil sur la voûte céleste. Cette projection constitue le zodiaque, formé par 12 constellations, groupes d'étoiles dont on a aujourd'hui pris l'habitude de voir les dessins, et qui donnèrent leurs noms aux signes zodiacaux.

D'après les planètes et les constellations, les Babyloniens (les premiers) établirent un calendrier basé sur l'astrologie et les quatre saisons. Le nom des signes évolua avec l'histoire et les civilisations qui, tour à tour, s'approprièrent « le langage des astres » et le firent évoluer… Mais quels que soient les noms donnés aux signes, ceux-ci eurent toujours pour rôle de marquer l'évolution du Temps et donc, symboliquement, la progression de la personnalité. La roue du zodiaque évoque ainsi, en douze étapes, l'évolution de la personnalité humaine, l'éveil de sa conscience ainsi que le passage d'un plan de conscience à un autre.

Chaque signe a un rôle précis dans cette évolution. Du Bélier qui, avec le retour des forces vives primordiales analogiques au printemps symbolise l'ego à son stade le plus primaire, mais aussi le plus puissant, au Poissons qui, avec la période de la fonte des neiges et la dilution de toutes les certitudes terrestres, représente la disparition de l'ego humain et l'accès – le retour – à un plan cosmique infini et intemporel.

♈ ♉ ♊ ♋ ♌ ♍ ♎ ♏ ♐ ♑ ♒ ♓

## b) Douze signes, six axes

Les 12 signes que nous connaissons fonctionnent deux par deux. Il existe en réalité 6 signes véritables, avec chacun une face et un dos (ou un endroit et un envers), mais la dynamique de base et les objectifs vitaux en sont identiques. Ces six axes sont les suivants :

♈♎ **L'axe Bélier-Balance,** ou *axe de la relation.* La relation humaine représente le cœur des préoccupations de ces signes, mais chacun y répond d'une manière opposée et, finalement, complémentaire.

♦ Le Bélier dit : « *Moi tout seul, j'existe face à l'autre.* »

♦ La Balance dit : « *Moi à deux, j'existe grâce à l'autre.* »

♉♏ **L'axe Taureau-Scorpion,** ou *axe de la pulsion.* Ces signes sont au cœur de la matière humaine et terrestre. Ils connaissent tous les secrets de la vie et de la mort, mais prennent des positions opposées par rapport à cette question de fond.

♦ Le Taureau dit : « *La vie est sur Terre. Je crée et je possède.* »

Jupiter, au centre du zodiaque.
(Sculpture du IIᵉ siècle ; Villa Albani, Rome.)

✧ Le Scorpion dit : « *La vie passe par la mort. Je détruis pour transcender.* »

♊ ♐ **L'axe Gémeaux-Sagittarne,** ou *axe de l'espace.* Ces signes permettent d'accéder à une vision complexe, intellectuelle puis spirituelle de l'humanité. Leur maître mot est le mouvement, mais ce mouvement est vécu différemment par l'un et par l'autre.

✧ Le Gémeaux dit : « *Je bouge dans ma tête. Je conceptualise et je transmets.* »

✧ Le Sagittaire dit : « *La vie est ailleurs. Ma mission est ma quête.* »

♋ ♑ **L'axe Cancer-Capricorne,** ou *axe du temps.* Pour ces deux signes, tout est inscrit entre hier et aujourd'hui ; ils sont chacun à un pôle de la roue de la vie.

✧ Le Cancer dit : « *Je suis l'enfant de ma mère. L'imaginaire est ma réalité.* »

✧ Le Capricorne dit : « *Je suis le père de moi-même. Je gravis ma montagne.* »

♌ ♒ **L'axe Lion-Verseau,** ou *axe de l'individuation.* Ces signes sont ceux du stade de l'adulte accompli. Mais chacun voit différemment son rôle d'adulte parmi les adultes.

✧ Le Lion dit : « *Un pour tous. Je suis le modèle de référence.* »

✧ Le Verseau dit : « *Tous comme un. Je suis solidaire et identique à mes frères.* »

♍ ♓ **L'axe Vierge-Poissons,** ou *axe de la restitution.* A ce stade de la roue du zodiaque, il est temps d'abolir la notion d'individualité. On s'en réfère à l'âme et, plus qu'à soi, on pense à son prochain.

✧ La Vierge dit : « *Je me dévoue sur Terre. Je suis utile au quotidien.* »

✧ Le Poissons dit : « *Je lâche prise. A travers moi, la loi divine s'accomplit.* »

## c) **Quatre éléments, trois croix**

Les quatre éléments Feu, Terre, Air et Eau, combinés selon ces six axes, s'associent également selon une répartition ternaire qui spécifie le type d'énergie élémentaire de chaque signe, ainsi que leur stade d'évolution initiatique. Nous aurons ainsi les trois croix suivantes :

✧ **La croix cardinale :**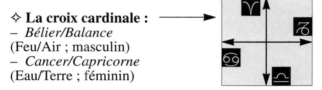
– *Bélier/Balance*
(Feu/Air ; masculin)
– *Cancer/Capricorne*
(Eau/Terre ; féminin)

C'est la **croix de l'Esprit.** En latin, le mot cardinal signifie « gond de la porte ». Les cardinaux *inaugurent l'énergie* de l'élément auquel ils appartiennent. Ils introduisent la notion de disciple propre à la période préparatoire de l'âme au passage de la porte de l'initiation. Ils représentent le premier stade de l'évolution de l'âme.

✧ **La croix fixe :**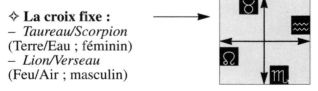
– *Taureau/Scorpion*
(Terre/Eau ; féminin)
– *Lion/Verseau*
(Feu/Air ; masculin)

C'est la **croix de l'âme.** Ils sont les signes sacrés qui symbolisent l'énergie de l'élément auquel ils appartiennent. *Le message divin y est déposé,* d'où leur analogie avec les quatre évangélistes. Ils représentent l'âme à son aboutissement.

◇ **La croix mutable :**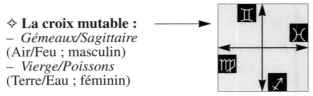
– *Gémeaux/Sagittaire*
(Air/Feu ; masculin)
– *Vierge/Poissons*
(Terre/Eau ; féminin)

C'est la **croix du corps.** Elle spécifie le chemin de la vie quotidienne à laquelle sont assujettis tous les fils des hommes. Elle représente la crucifixion et la difficulté journalière de ceux qui *servent le divin à travers la matière* et son utilisation. Les mutables doivent transmuter l'énergie de leur élément.

∞

Comme nous l'avons dit, nous sommes tous un savant mélange de ces différents paramètres, mais un signe se détache tout particulièrement sur notre chemin.

Un signe, une étoile, un message… A chacun son Bethléem !

*Découvrons-le à présent en détail.*

# I

# La vie selon le Bélier

## 1. Le mythe de la force

« *Je suis,* dit le Dragon.
*Je suis un feu inassouvi,*
*Le centre de toutes les forces,*
*Un héros au grand cœur,*
*A la fois vérité et lumière.*
*Mes mains détiennent pouvoir et gloire.*
*Ma seule présence éloigne les nuages les plus*
sombres,
*On m'a choisi pour dompter le destin. »*

Ainsi s'affirme le credo du Bélier qui correspond – en astrologie chinoise – au Dragon. L'image est forte d'emblée, et quiconque se représente un dragon lançant des flammes est transporté aux pays des héros de légende où le surpassement de soi et la nécessité de ne compter que sur ses propres forces est de mise. L'excès de cette image n'est cependant pas fait pour enthousiasmer unilatéralement. Selon son tempérament, chacun en sera stimulé, terrorisé ou y restera indifférent. Le Bélier lui, en est totalement fasciné, tant **les notions de force, d'héroïsme, d'affirmation de soi et de lumière le font vibrer.** Il ne se voit d'ailleurs pas dans la peau du dragon, mais forcément dans le rôle du fier chevalier sans reproche qui va en triompher, et l'idée qu'il puisse faillir à sa tâche ou que de tels mythes n'existent pas dans la réalité ne vient même pas l'effleurer.

**L'idée de vaincre le mobilise corps et âme** et, dès lors, rien ne peut l'arrêter. Au pire, pour lui, **rater signifie recommencer...** ce qu'il ne cesse d'ailleurs de faire toute sa vie durant. « Bille en tête », une idée le propulse en avant, avec la vitesse et l'irréversibilité d'un boulet de canon. Que cela s'accompagne de bruit, de fureur et de « gnons » l'indiffère : le Bélier sait trop que lorsque la vie débute, il n'est pas temps de prendre des précautions.

Lorsqu'on ne sait pas où l'on va, ni comment on va y aller, le mieux est encore d'y aller. **Au commencement des temps, l'action tient lieu de réflexion.**

## 2. A l'équinoxe du printemps

La loi des entre-deux est toujours très ambiguë, car elle place devant l'obligation de choisir son camp et de marquer son territoire sans que celui-ci soit clairement délimité dès le départ. C'est le problème du signe du Poissons qui hante encore l'inconscient du Bélier (il ne faut jamais oublier que, dans la loi de rotation de la roue de la vie, le Bélier « sort » tout juste du Poissons). Au moment où la nature est dans une phase de passage et de flou, la perception énergétique de l'environnement n'est jamais nette. La limite qui est ici marquée est celle de l'hiver. Mais si le Poissons reste du côté de la finition de l'hiver, le Bélier, lui, est obligé de se positionner du côté du début du printemps. Tous les signes de renouveau sont là : dans l'air, dans la couleur du ciel, dans la température qui remonte, dans les jours qui grignotent inexorablement les nuits. Pourtant, il reste une certaine froidure : les neiges ne sont pas toutes fondues, les pluies se déversent et on ne sait à quel saint – de glace – se vouer pour que les pousses continuent de croître et ne soient pas gelées en terre par un brusque coup de gel – improbable certes, mais encore possible…

Ce n'est pas le genre du Bélier de jouer sur toutes ces nuances : sa vie dépend du fait qu'il en finisse avec toutes les tergiversations et qu'il donne un grand coup de pouce à tout ce démarrage. Finalement, il est bien **le seul à avoir l'idée du printemps,** une idée fixe, un phare de ralliement, une **obstination** qui viendra à bout de toutes les hésitations. Drôle de mission effectivement que celle de ce pionnier ! Il est le bateleur, l'éclaireur ; **il sort sa tête du rang au risque de se faire décapiter,** pour prendre un pari fou : celui de ramener une vie que personne ne voit encore et à laquelle **il est seul à croire…** Il en faut pourtant, des missionnés, des héros *« choisis pour dompter le destin »,* si tant est que le destin est bien la loi de rotation de la vie en mort et de la mort en vie. Alors que la Balance fait basculer de vie en mort, le Bélier, lui, dompte la mort pour faire revivre les âmes.

## 3. Le signe de tous les engendrements

Ceux qui critiquent son impétuosité, sa témérité, sa fougue et sa violence, s'ils ont raison, doivent aussi penser que la tâche du Bélier est bien difficile et que mieux vaut finalement pour lui qu'il n'y pense pas trop. Car non seulement le Bélier doit avoir assez de force pour tous, mais il sait, de plus, que **ce qu'il inaugure ne lui reviendra pas,** qu'il n'en profitera que très partiellement. Signe de l'idée, du commencement et de la naissance, il n'est pas celui de la réalisation et des fruits, puisqu'il faut attendre le Taureau pour que les idées prennent forme. Les résultats l'intéressent bien moins que le démarrage des choses. Seul est stimulant **ce qui reste encore à créer.** Dès qu'il a fini de mettre en route le printemps, le Bélier passe le relais au Taureau. Sur ce même modèle, dès qu'il a fait démarrer quelque chose, il s'en lasse puis cherche une nouvelle entreprise à mettre sur pied.

La création humaine se déroule toujours en trois phases : **expansion, concentration** et **destruction.** Ces phases correspondent à celles de la Lune et donc à tous les rythmes cosmiques, puis terrestres et vitaux, extérieurs et intérieurs. Au sortir de la mort symbolique qu'est l'hiver, **le Bélier incarne au mieux la phase d'expansion,** celle pendant laquelle il faut aller de l'avant sans tenir de comptes et sans mesquinerie. **Sa vie est un perpétuel engendrement.** Telle est la devise chez les preux chevaliers qui doivent, sans compter, dispenser leur essence sans chercher à voir les résultats leur revenir. Tel est le problème des chefs, qui sont beaucoup plus engagés vis-à-vis de ceux qu'ils guident que ces derniers ne le sont à leur encontre.

On n'est pas loin de **la solitude du conquérant,** qui a sa bravoure et sa bonne foi pour compagnes mais qui, une fois l'acte accompli et l'injustice réparée, n'a plus de raison de s'attarder près de ceux qui ont eu besoin de lui.

« *Poor, poor, lonesome cowboy…* » dans un monde qui ne manque ni de dragons, ni d'orphelins et qui a toujours grand besoin de **vaillants justiciers !**

## 4. L'horreur de la solitude

Il n'existe pourtant pas signe qui déteste à ce point la solitude. La question centrale qui se joue dans l'axe Bélier-Balance est, nous l'avons dit dans l'« Introduction », celle de la relation à l'autre. Cet aspect gouverne complètement – trop complètement – la vie des natifs.

Le Bélier dans son rôle de sauveur. Ici, Ulysse sauvé par un bélier céleste (sculpture, palais Doria, Rome).

Le comportement téméraire et entier du Bélier, qui se jette totalement dans l'idée qui le mobilise à un moment donné, n'a de raison d'être que par rapport au résultat qu'il en escompte de la part de l'extérieur. Il n'est pas vaillant à l'égard de sa seule conscience intime. Il l'est **pour être reconnu et suivi par l'extérieur...** pour être aimé en somme. C'est bien simple, mais souvent on ne s'en rend pas compte tant il s'y prend avec brusquerie et sans détour pour imposer presque à l'autre de l'aimer. « *Aime-moi*, somme-t-il, *je fais tout pour toi, pour toi je vaincrai tous les démons, tous les dragons et ma force te conquerra...* »

L'enthousiasme en séduirait plus d'un ! Le problème est qu'il en irrite aussi certains autres qui se sentent envahis, houspillés, terrorisés par cette fougue dévastatrice qui semble vouloir leur passer dessus comme une attaque de Vikings ardents ! Et puis, qu'est-ce que c'est que celui-là – ou celle-là, car les femmes du signe sont souvent bien plus inflammables encore – qui se prend pour un invincible et qui a décidé qu'il en serait comme il l'a imaginé tout seul dans son coin, en fonction de ses seuls désirs personnels !

Ah ! oui, évidemment, l'art et la manière n'y sont pas ! On n'a pas affaire à une Balance et encore moins à un Capricorne. Le feu mis à la paille, le Bélier entend qu'il soit consommé avant qu'il ne soit consumé. Cela est vrai pour tous les domaines relationnels, car les natifs s'enthousiasment de la sorte aussi bien pour un projet d'affaires que de voyage. **Ils ont horreur de la solitude** mais, encore plus que de la solitude, de la **négociation** et du **dialogue** véritables. *« Moi, je… j'ai personnellement décidé que… »* ce qui est encore une autre version du fameux *« Moi Tarzan, toi Jane »*, ou plutôt *« Moi Tarzan, toi Chita »*…

A moins de tomber sur quelqu'un qui suive sans rien demander – quoique cette race les horripile – les Béliers sont toujours, dans un domaine ou dans un autre, pris au piège de leur incapacité à concilier et à réconcilier et de leur **agressivité notoire** qui leur tient à la fois lieu de juvénilité, de défense et de preuve d'existence. Au bout du compte, dans le domaine de la relation ils se positionnent du côté du *« Moi, tout seul »* qui les désespère mais qui est leur seule façon immédiate de fonctionner puisqu'ils pensent profondément qu'**on n'existe que dans le face à face.** Et, de fait, lorsqu'on est côte à côte, il n'y a plus lieu de guerroyer ; or, sans guerre et sans opposition, le Bélier perd ses repères et ne sait plus quoi faire de ses forces. Quand on est là pour régler leur compte aux méchants et qu'on est chef des armées, il est bien difficile d'intégrer qu'on peut aussi signer des armistices, voire s'associer… C'est là le rôle des conseillers et des diplomates, mais pas celui de l'homme de terrain (sinon l'homme de main) qu'est le Bélier.

## 5. Je m'oppose donc je suis...

« *Exister c'est s'opposer...* » ; une des lois fondamentales de l'existence du Bélier se trouve dans cette phrase. Pour bien saisir ce que cela signifie, il suffit de se référer au comportement d'un enfant de deux ans. Dans cette phase de construction de l'identité, le moteur réside dans la prise de puissance de l'enfant qui découvre sa capacité à agir sur son environnement et à y avoir des effets. Cette découverte « miraculeuse » est enivrante car, pour la première fois, l'enfant prend conscience de son existence et du jeu de questions-réponses, d'effets induits et d'effets reçus, qui est la mécanique centrale de la vie et dont il était jusque-là exclu.

Alors, bien sûr, c'est l'âge du « non ! », de ces affirmations péremptoires du style « *Moi, tout seul !* », d'une agressivité plus ou moins marquée selon les individualités, agressivité teintée des premiers désirs et de l'éveil de l'œdipe. C'est la toute première force – originelle et grandiloquente – flamboyante et vivace, du tout-juste-né, du tout-juste-sorti de la matrice et de l'environnement cotonneux de l'univers maternel.

Comment affirmer son existence à ce stade balbutiant, sinon avec excès et turbulence ? **Exister c'est s'opposer,** c'est dire non, ne serait-ce que pour **marquer le coup, délimiter son territoire et contrer l'autorité maternelle –** que l'on perçoit encore comme toute-puissante et que, même, on reconnaît toute-puissante à travers le fait de déployer tant d'énergie pour la rejeter... Lorsqu'on vient tout juste de se mettre sur ses pieds et d'acquérir la première autonomie de la maîtrise de son corps (c'est l'âge de l'acqui-

sition de la propreté), *ce n'est pas le moment de penser aux retrouvailles.* Les retrouvailles ne peuvent
venir qu'à un stade nettement plus avancé de la
construction de la personnalité, lorsqu'on a fait
l'apprentissage et l'expérience de la **vraie maturité** et
que l'on est devenu un individu à part entière.

Au stade du Bélier, celui de l'**émergence du Moi,**
la notion de retrouvailles apparaît comme un frein,
comme un danger et un handicap qui achève de rendre
le Bélier furieux. S'unir le détournerait de ses urgences et de son but immédiat qui reste de **prouver** – par
tous les moyens et avec éclat – son **existence** et sa
**capacité d'action.** Voilà pourquoi les natifs sont soumis à une obligation d'opposition, bien irritante et surtout fatigante pour l'entourage car, autant ce type de
comportement est amusant chez un enfant de deux
ans, autant cela devient agaçant lorsque, devenu adulte,
le Bélier ne dépasse pas ce stade et le transmute en
*syndrome chronique,* souvent stérile à la longue…

## 6. Nécessité et drame de la coupure

Le signe du Bélier est associé aux armes, particulièrement aux armes blanches (couteaux, glaives,
coutelas, sabres, poignards, etc.) par analogie à son
besoin de se détacher et de se démarquer. On voit bien
la référence à la coupure d'avec le cordon ombilical
qui, chez lui, reste un fantôme car il vient tout juste de
s'en dépêtrer. Le Bélier est véritablement le signe des
engendrements mais, plus encore peut-être, celui de la
naissance, du *stade premier des choses.*

**Il n'a pas le choix ;** il est impératif de retenir cette
obligation vitale qui sera souvent rappelée dans ces
pages. La vie commence par une grande rupture et la
chance – mais aussi le drame – du Bélier, c'est d'être

Le Bélier en tapisserie, extrait du *Tractacus Sphæra.*
(XVIᵉ siècle ; Bibliothèque nationale, Paris.)

celui qui subit le plus immédiatement et le plus textuellement (parce que sa place de premier ne lui donne
pas l'opportunité du recul) ce verdict qu'il vit plus
comme une sanction (une section) que comme une
libération. Malgré lui au fond, se présente dans sa vie
– parce qu'elle est inscrite dans son for intérieur – **la
nécessité de la coupure,** du fait de rompre avec ce qui
fut pour aller seul de l'avant, tête baissée, afin de ne
pas penser à la douleur d'une telle fin. S'il stoppait
deux secondes, il se souviendrait bien à quel point
l'état précédent était agréable, car nul autant que lui
n'est aussi proche de cette mémoire. Du coup, il y a
quelque chose d'**enfantin,** de faux, de suspect, dans
ce défi permanent. L'énergie, certes, et l'enthousiasme
presque **naïf** ne lui manquent pas, et heureusement :

de fait, le Bélier doit avancer, puisqu'il n'a vers où « retourner ».

*« Tout nouveau, tout beau »* devient sa devise, mais n'est-elle pas aussi une condamnation ? S'il y réfléchissait, s'il arrêtait d'avancer (et cela lui arrive aussi…), il en mourrait de tristesse. Le Bélier n'a aucune capacité de gestion de la tristesse ; il ne sait que la subir au premier degré, ce premier degré auquel il perçoit l'ensemble des événements et des émotions qui lui tombent dessus comme des douches plus ou moins « écossaises »… Jacques A. Bertrand dit ainsi de lui : *« Le Bélier est têtu comme un âne. L'âne est têtu parce qu'il ne veut pas avancer. Le Bélier est têtu parce qu'il ne veut pas s'arrêter* (1)*… »* Bien sûr : **s'arrêter c'est abdiquer** à l'égard de la mission de coupure et de triomphe qui lui est assignée dès la naissance. Lui qui doit dompter la mort, *« la nuit utérine* (2) *»,* il n'a pas le loisir de s'arrêter en chemin. Son problème n'en reste pas moins celui du lièvre de la fable…

Demeure le **regret,** dictatorial. Pour qui a une telle obligation de couper, le vertige de la solitude horrifiante est un véritable drame intérieur. N'oublions pas qu'il est « tout-juste-né », tout-juste-coupé, même s'il semble parader avec sa toute fraîche libération. La tentation de revenir à l'état idyllique de la fusion, celle qui est encore le stade du Poissons – son alter ego, son jumeau ennemi – est bien forte. **C'est dans la tentation du retour que le Bélier puise la vitalité** – et la brutalité – **de sa force de propulsion.** Les ombres du regret, la sensation d'une profonde injustice subie, tapissent son inconscient. Pourquoi lui, bon sang,

---

1. Voir, de Jacques Bertrand : *Tristesse de la Balance* (Editions B. Barrault).
2. Voir, du professeur Alfred Tomatis : *La Nuit utérine* (Stock).

pourquoi est-ce que la roulette divine est tombée sur lui et en a fait le signe choisi de la rupture originelle ?…

Tous les Béliers sont, consciemment ou non, en prise avec un rapport violemment ambigu à **leur désir d'attache, de liaison et de réconciliation.** Les rapports à la mère, à l'autorité, au groupe surtout (le bélier est animal de troupeau) sont plus qu'ambivalents et toujours teintés d'amour-haine, de mouvements de rejet suivis de moments de réconciliation. Ils ne se rêvent que deux, mariés, unis, fondus… Mais, affirmant leur Moi souverain, ce Moi tout juste éclos et si fragile qu'il faut le clamer bruyamment alentour, ils ne laissent à l'autre d'autre choix que celui de les suivre totalement et d'avoir confiance en leur force, ou bien de les quitter.

« *C'est comme ça et pas autrement !* » Eh bien, c'est souvent autrement, car tout le monde n'a pas envie d'être sans cesse dans **un rapport de duel,** sans doute tonifiant et vivifiant, empli de désir et sexuellement titillant, mais aussi usant et invivable au quotidien ! Les passions s'accumulent, qui laissent le Bélier désespéré, toujours aux prises avec son rêve d'union parfaite et décidément impossible…

On le soupçonnera à juste titre de **faire la guerre par amour de l'armistice :** c'est tellement bon et fort de faire la paix, mais comment s'y autoriser si on n'a pas d'abord livré une guerre sans merci ?

Croyez-vous que le Bélier se remette en question et mûrisse avec l'âge ? Croyez-vous qu'il finisse par entrevoir d'autres façons de fonctionner ? Pas du tout ! Voilà une porte que le Bélier évite soigneusement de pousser, malgré la série de déboires qui accompagne sa route sur le plan professionnel comme sur le plan amoureux. **Il garde la fougue de la jeu-**

**nesse toute sa vie durant.** Se regarder en face n'est pas son problème, puis devient Le problème principal… **Grand fonceur devant l'Eternel, le Bélier carbure à l'éternel regret !**

## 7. Fatigable, mais increvable

Ce n'est pas banal d'avoir à ce point la capacité à suivre une idée fixe jusqu'à ce qu'elle prenne forme ! Son obstination est absolument créatrice et il faut rendre à César… les lauriers d'une **puissance initiatrice** phénoménale. La tête est la partie du corps qui correspond au Bélier et, effectivement, tout démarre de là : il projette son idée, la mentalise, a des perspectives. Les anthropologues nous ont appris que ce qui caractérise l'homme n'est pas l'intelligence, mais sa **capacité projective,** sa puissance à imaginer un but et à désirer le réaliser. A eux deux, le Bélier et le Taureau sont champions toutes catégories en projective réalisée mais, dans le tandem, c'est le Bélier qui tire le starter. Sa force est mentale mais le miracle est que **son corps précède l'idée plus qu'il ne la suit** (ou le laps de temps est tellement infime entre l'idée et l'action qu'on se croirait sur un parcours de formule 1, lieu de prédilection pour un Bélier qui se respecte… ce qui me fait penser à mon fils Bélier qui me reproche sans arrêt de ne pas me dépêcher pour éviter les feux rouges !). Que cette idée soit un miroir aux alouettes n'y fait rien ; sur le nombre des idées et des initiatives, il y en a bien une qui sera la bonne !

**Le Bélier préfère guérir que prévenir** et expérimenter que faire une étude marketing… Devant ce type de comportement, certains – des Vierges, des Capricornes, des Cancers (quelqu'un disait : « *Un Bélier ne peut même pas imaginer qu'une Vierge puisse exister…* ») – s'effraient et on leur recommande

Représentation du Bélier en astrologie hindoue, extraite du
*Jamnapatra* de Navanibal Sing de Labore.

(Manuscrit sanskrit, British Museum, Londres.)

souvent de se calmer, de ralentir, de mieux gérer leur énergie, de s'économiser… « Foutaises » vous diraient les natifs, et je renchérirai avec eux car on ne donne pas de conseils à quelqu'un sans tenir compte de sa structure de base. Si l'astrologie nous apprend quelque chose, c'est bien le respect de la spécificité de chacun.

**Un Bélier fonctionne sur l'épuisement… de ses ressources inépuisables.** Il est fait comme ça. Tout comme une voiture puissante finit par se déglinguer si on n'utilise pas ses capacités véritables, *on ne dit pas à un Bélier de gérer ses moyens à doses infinitésimales.* C'est vrai dans le domaine de la santé, mais aussi sur le plan du quotidien. Le Bélier est branché en permanence sur la force de l'équinoxe du printemps. Il sait qu'il peut à tout moment repartir. Finalement, il n'use que ce qu'il possède, même si cela se manifeste par le fait de passer de phases de dépression (l'hiver lui est inconcevable) et de fatigue totale, en phases de renaissance.

**Le Bélier est le seul à avoir la certitude que le printemps va revenir.** Le tout, pour lui, reste de passer l'hiver ! Mais tant qu'il y aura un printemps sur Terre, le Bélier pourra dilapider ses forces en tonitruant. Si un jour, par malheur, le printemps ne devait plus revenir, alors le Bélier mourrait… mais tous les autres mourraient avant lui. Cette loi est inscrite au fond de ses cellules. Regardez-le marcher avec son sourire espiègle, son port de tête conquérant, le dos droit comme un « i » : cet enfant-roi est un garnement qui se sait impuni…

## 8. Naître n'est pas connaître

S'il est **le signe de l'émergence du Moi,** s'il a ce besoin impérieux de faire valoir son existence et sa loi – qui est toujours plus ou moins une forme de désobéissance – c'est qu'il est bien le signe de la naissance, du début de toutes choses. Il n'en reste pas moins que son secret est vraiment dans son besoin d'union, de connaissance, c'est-à-dire de l'apprentissage de tout ce que l'on peut faire et devenir en étant deux, dans un « côte à côte » et un « cœur à cœur » qui dépassent le « face à face » et le « corps à corps ».

**La co-existence remplace l'existence,** stade premier des choses, dès lors que l'on passe au stade adulte et mature des êtres et des choses. Le Bélier le pressent et poursuit inconsciemment cet objectif mais il lui faut, pour cela, intégrer l'étape de reconnaissance de l'organisation sociale et des structures fondatrices du groupe social.

**A deux on fait les choses mieux,** voilà bien une révélation que le Bélier attend toujours de recevoir ! S'il est impératif d'être un individu à part entière, qui fonctionne sur ses critères propres et ses bases personnelles afin de commencer quelque chose dans la vie, pour évoluer **la nécessité de l'association reste incontournable** – du moins à l'intérieur d'une société humaine telle que nous la connaissons et compte tenu du tempérament affectif du Bélier. Mais, pour cela, il lui faut **dépasser le Moi,** l'ego, l'impertinence et la volonté de pouvoir qui restent son lot premier. Imposer suffit à initier quelque chose ; pour construire, il faut de plus apprendre à négocier et à tempérer. **Tout seul on débute, à deux on évolue.** Sur tous les plans de sa vie, après mille déconfitures qui le désespèrent, le Bélier doit apprendre cette leçon de vie. Il peut, pour cela, se référer à l'autre face de son miroir personnel que lui présente le signe de la Balance.

## 9. L'apport de la Balance

L'intérêt du « deux à deux », la nécessité de l'union et de l'association sont mis en lumière par le signe de la Balance qui habite le Bélier comme un négatif fait partie de la même photo. A la même problématique relationnelle qui constitue le centre de cet axe, la Balance imprime une réponse toute différente. Elle dit : *« Moi à deux, j'existe grâce à l'autre »* et vient ainsi rappeler les vertus de la réconciliation, de la tolérance et de la reconnaissance de la spécificité de l'autre. Bien sûr, le Bélier qui se respecte passe une bonne partie de sa vie à fuir ce message ou bien à rater ce cap qu'il reconnaît pourtant en lui-même comme important et nécessaire.

Le jour où il accepte de se tourner vers son for intérieur, il s'aperçoit que les vertus du Moi absolu ne lui permettent pas d'aller très loin.

L'association devient alors son objectif nouveau et rénovateur. Elle ne dure cependant pas éternellement, car l'association même – comme une étape nécessaire – représente bien le cap à franchir. Après un temps plus ou moins long de co-existence, le Bélier retrouve son moteur personnel qui demeure celui du face à face et de l'opposition. **De coupures en réconciliations il évolue,** l'important étant toujours pour lui de conserver intact son moteur central : celui de l'**action.**

## 10. L'apport du Poissons

A chaque signe correspond son « miroir contraire » mais aussi son « total étranger », un signe « martien » qui, parce qu'il possède des valeurs qui lui sont exactement étrangères, lui apporte une leçon essentielle. Pour le signe du Bélier, le « parfait martien » s'appelle **Poissons.** Si le Bélier veut bien s'y ouvrir, le discours de cet absolu étranger sera pour lui autant de pistes de vie…

C'est sur le plan de l'utilité de l'action que le Poissons vient tenir un discours interrogeant. En effet, pour ce signe tout vaut son envers et **chaque chose doit arriver en son temps.** Nul besoin de se lancer dans un interventionnisme volontariste et téméraire, car le sens profond des choses échappe, par essence, à la nature humaine. Le signe du Poissons, branché sur le cosmique dont il est le représentant dans le zodiaque, sait bien qu'il faut accepter de se laisser couler dans les eaux vives de la vie et s'y laisser porter, car c'est à ce prix que l'on peut, éventuellement, remonter le courant et revenir vers des berges personnelles, après avoir fréquenté celles de la collectivité la plus large. Pour le Bélier, qui parie uniquement sur son action propre et ne jure que par son Moi, la leçon philosophique est majeure, mais dure à intégrer.

Le dragon, symbole emblématique du Bélier et de son rôle transmutateur et canalisateur d'énergies.

Se « laisser faire » et « lâcher prise », qui sont les apports majeurs de Neptune, régent du Poissons, lui semblent a priori autant de possibilités de noyades. La vie se charge pourtant de lui rappeler le contraire, à chaque fois que son Moi et sa volonté personnelle prouvent leur incapacité à triompher de tout. L'essentiel reste d'ordre subtil et le Bélier, dans son inconscient, le sait, même si d'emblée il préfère y opposer la force de sa personnalité. Sur ce point, le message du Poissons l'enjoint à revoir sa définition du pouvoir que l'on a véritablement, en tant qu'humain, sur le sens de sa vie.

Fondamentalement, le Poissons invite le Bélier à avoir confiance en cet Invisible qui le terrorise parce qu'il vient tout juste d'en couper avec lui. Il le convie à retrouver le sens de l'Intelligence cosmique qui régit l'humanité puisqu'elle en est la source tout en restant un mystère. C'est autant de sagesse qui rend nécessaire l'abnégation et l'abandon du rôle central du Moi. Du *« Je suis ce que je fais »,* le Bélier doit passer à l'*« à quoi bon »* du détachement total… Qu'il le fasse vraiment n'est pas sûr. Mais s'il intègre cette notion de relativisation, c'est autant de maturation en perspective, qui passe par une lucidité et une acceptation de son identité d'adulte autonome. Une vraie révolution en somme !…

## 11. Synthèse

En s'appuyant sur les éclairages et en intégrant les solutions données par ces deux signes, le natif du Bélier peut mieux lire son histoire et la comprendre pour ainsi la dépasser. Il saisira alors que les caractéristiques d'action et de personnalisation qui sont les siennes viennent comme en réponse à la mission d'engendrement et de mise en face à face qui lui est donnée par cette place de premier qu'il occupe dans le zodiaque. Toute sa psychologie repose, sa vie durant, sur les caractéristiques de l'âge martien, situé entre un an et demi et deux ans et demi. Pour éviter une fixation de la personnalité à ce stade, le Bélier doit savoir se remettre en question.

Bien sûr, tous les Béliers ne vivent pas systématiquement ces caractéristiques comme des défauts sans issue mais, lorsque des problèmes apparaissent, ils viennent souvent des excès du Moi et de l'activisme forcené tels que décrits précédemment. Il est toujours bon pour les natifs, à des degrés divers, de faire la lumière sur les véritables raisons de leur légendaire besoin d'union et leur éternel besoin d'agir et de s'affirmer coûte que coûte, quand bien même cela déstabiliserait leur confiance en eux-mêmes.

Le Bélier, extrait d'un manuel
d'astrologie du xixe siècle.
(*The Astrologer of the Nineteenth Century*,
Royal Astrological Academy, Londres.)

♈ ARIES.

Vénus et Mars, les amants terribles.
(Fresque des ruines de Pompéi, musée de Naples.)

# II

# Comprendre le Bélier

## 1. La structure élémentaire

✧ *SIGNE MASCULIN :*

**Polarité masculine,** en langage astrologique, exalte la composante active, initiatrice, créatrice, structurante et protectrice, grandes caractéristiques yang d'extériorisation du principe diurne, sec et chaud. Cela donne des dispositions à diriger, décider, aller de l'avant, revendiquer et éventuellement diviser pour régner plutôt qu'à accueillir, comprendre, concilier, tempérer et retenir, sinon se retenir. Cela signifie aussi que le signe est généralement **mieux vécu par les hommes que par les femmes,** car ses caractéristiques impliquent un meilleur équilibre entre la polarité du signe et le pôle sexuel de la personnalité.

— Les **hommes** du signe exaltent d'ailleurs leur aspect viril et se présentent pratiquement comme des prototypes de ce qu'est **la force faite homme,** avec un côté Bayard, chevalier servant et ouvertement actif, dynamique, responsable, décideur, imposant les solutions pour tout leur entourage, ravi ou agacé.

— Les **femmes** vivent souvent les caractéristiques du signe en excès, comme souvent celles qui sont marquées par la polarité très masculine des signes de Feu. Elles sont de « valeureux petits soldats », bien plantées sur leurs jambes, la tête haute, le regard droit, l'esprit clair et net, bien décidées à ne pas se laisser marcher sur les pieds, ni à rater une seule occasion de défendre ceux qu'elles aiment – et qui, pensent-elles forcément, ne peuvent certainement pas s'en sortir sans elles.

Si Mars fait homme donne des êtres solides et fiables, mais aussi nerveux et dynamiques sur le mode d'une pile électrique, Mars fait femme donne des Athéna vaillantes et « carrées » qui mordent la vie à belles dents et l'abordent en battantes, armure de fer mais cœur d'artichaut…

✧ *SIGNE DE FEU :*

Comme le Lion et le Sagittaire, le Bélier appartient à l'élément Feu, ce qui signifie avant tout qu'il a « un tigre dans son moteur » ! Les signes de Feu possèdent **le moteur fabuleux du désir** et ont cette capacité phénoménale à bouger les montagnes pour mettre en marche ce dont ils ont envie. L'enthousiasme, l'action, le courage, la puissance créatrice et l'esprit d'entreprise se mêlent à leur ambition pour produire une personnalité souvent excitable et démonstrative.

**Le feu symbolise la verticalisation de l'âme** et s'attaque à tout ce qui est périssable pour ne retenir que l'envergure et l'authenticité en toute chose.

Au négatif, ces caractéristiques exacerbent une tendance à l'excès, à la pléthore et à la démesure… avec leur lot de colérisme, d'autoritarisme et de mégalomanie. Une certaine tendance à aller trop vite et à mépriser les détails concrets représente aussi les défauts intrinsèques de l'élément Feu. On y trouve, en somme, toutes les grandeurs, mais aussi toutes les misères de la nature humaine.

Opposé de la Terre, le Feu « tire vers le haut », vers l'esprit et le cœur, et vise à présenter l'aspect plutôt divin de l'humanité. Mais il peut, par là même, conduire à passer à côté des choses simples, quotidiennes à cause d'une certaine difficulté à s'intéresser à la réalisation des idées et des désirs, la mise en pratique et la gestion des choses étant reléguées aux subordonnés. En Bélier, il s'agit du Feu du printemps, impulsif et violent, issu de la nuit de l'hiver pour féconder un nouveau cycle de création vitale.

C'est un feu « *expansif transmutateur* (1) », *Grahapatya* dans la tradition hindoue, feu sacrificiel « *qui contient en soi toutes les choses à naître* » et symbolisé par le dieu Agni. Il représente le feu émergence, les flammes vives jaillies du désir et de la nécessité de faire évoluer les choses. « Energie des origines », **instinctive** et **téméraire,** elle est **mal canalisée** car trop soumise encore au danger d'être éteinte par le moindre coup de froid persistant.

✧ *SIGNE CARDINAL :*
Comme le Cancer, la Balance et le Capricorne, le Bélier fait partie des signes cardinaux, ce qui lui donne la tâche d'**entamer un cycle.** Ces signes sont encore « habités » par le signe précédent car ils inaugurent la saison à laquelle ils appartiennent. Ils sont donc caractérisés par le **besoin d'évolution et de transformation,** par une vie intérieure (ou extérieure) en perpétuel mouvement, un tempérament de pionnier, d'éclaireur et d'initiateur. On peut dire aussi qu'**ils se cherchent encore** car ils ne sont qu'« ébauchés », contrairement aux signes fixes qui symbolisent la plénitude de leur saison d'appartenance. Le Bélier représente donc *l'émergence du principe de Feu* qui se fixera en Lion et évoluera à un stade supérieur avec le Sagittaire.

---

1. Voir, de M. Senard : *Le Zodiaque* (Editions Traditionnelles).

L'**émotivité,** l'**affectivité,** le **courage** mais aussi l'**idéalisme** inhérents à l'élément Feu s'y expriment donc avec le maximum de pétillance, mais la **tendance à l'instabilité et à l'emportement** s'y trouve aussi exacerbée. S'il manque toujours, au stade cardinal, la nécessité d'une vraie maturation, pour le Bélier – premier des cardinaux (*« premier des premiers »*) – les qualités et les défauts généraux sont doublés.

✧ *TEMPERAMENT BILIEUX :*

Importance et prépondérance de l'état nerveux chez le natif du signe qui est soumis à une cyclothymie de son affectivité et qui se montre extrêmement sensible aux troubles engendrés par ses élans excessifs et à ses déceptions non moins cuisantes.

Un peu de modération s'impose, pour ne pas se laisser voguer le long des montagnes russes de son **irrégularité psycho-émotive** due à sa façon de tout vivre au premier degré et de ne lire la réalité qu'à travers la lorgnette de sa sensibilité mal canalisée, mal utilisée et mal évacuée. C'est le plan physique qui en prend un coup et, à force d'être « speed » et de ne pas savoir pourquoi il l'est, le Bélier finit par souffrir de maux divers, lui qui a une santé de fer et qui, surtout, ne supporte pas la maladie qui le freine autant qu'elle lui fait peur. Ce n'est pas étonnant cependant – la fragilité nerveuse étant telle – que les natifs du signe soient si souvent touchés par la **dépression,** la **mélancolie** voire l'alcoolisme et le cynisme, dernière arme contre une émotivité mal connue et mal canalisée.

✧ *LES ETOILES DU BELIER :*

– **Cassiopée** tout d'abord, constellation visible au-dessus de Paris, blanche et brillante, symbolisant la femme dominante. Cassiopée se trouve sur le cercle arctique, près de Céphée qui symbolise le Roi ou le Législateur. Le signe du Bélier étant lié à la nécessité de démontrer son pouvoir sur la matière et sur la forme, on trouve tout de suite le lien entre les étoiles qui guident ses pas, du firmament au-dedans de lui-même.

– **Cetus** (ou le Monstre marin) qui cherche à détruire l'âme en incarnation. **Persée** enfin, qui parle plutôt de victoire contre les instincts les plus primitifs et les plus immédiatement destructeurs ; il apporte au Bélier les sandales de la vitesse, le bouclier de la sagesse et le glaive de l'esprit qui coupe avec ses ténèbres pour évoluer vers la maturité.

## 2. La mythologie du signe

Pour comprendre l'essence des signes, rien de tel que la mythologie qui en constitue la source et dont les images permettent de saisir les dimensions cachées. Dans le cas du Bélier, toutes les figures mythologiques qui lui sont attribuées rappellent l'agressivité primordiale du désir de vivre, la primauté de l'instinct, de l'érection pugnace mais aussi du besoin d'évoluer et de faire mûrir ses élans premiers.

### a) « L'agneau immolé dès la fondation du monde »

Si l'on considère que le monde commence avec le signe du Poissons – et par là même, finit par lui – symbole des eaux primordiales, et qu'il va s'incarner et prendre forme dans le signe du Taureau, on saisit immédiatement qu'il manque une étape intermédiaire essentielle qui est celle de la fécondation et du principe créateur, masculin et sexuel. C'est l'étape du Bélier dont le symbolisme, dans toutes les mythologies mondiales, est associé à « l'érection instinctive du petit matin », mais aussi à la nécessité d'un sacrifice de cette première étape, sacrifice initiatique qui permet de renouer avec les profondeurs de l'être et de **triompher de l'instinct pour aller vers la connaissance.**

Ainsi le Bélier est-il, dans le panthéon de l'Egypte antique, l'emblème du dieu Amon dont le culte succède à celui du dieu Apis, à figure taurine. C'est avec la XIIᵉ dynastie qu'il fait son entrée triomphale dans le culte des pharaons qui font nourrir des béliers sacrés à Karnak. Akhn-Aton (qui est agréable au Soleil) essaie un temps de rétablir le culte du Soleil, Aton, et de détrôner Amon. Mais, à sa mort, le culte d'Amon revient avec toute sa force et connaît un apogée avec Tout Ankh Amon (image vivante d'Amon). Toute la bataille du solaire – principe masculin d'autonomie et d'indépendance – contre le lunaire primitif, principe magmatique des eaux matricielles primordiales, se trouve ici lisible. Car, tout vénéré qu'il soit, Amon est surnommé « le mari de sa mère ». On retrouve là toute la nécessité vitale du signe du Bélier d'en **couper avec ses origines, surtout maternelles,** pour avancer seul et vaillant, au sacrifice de ses instincts et de ses attaches, vers le monde des adultes productifs et auto-nomes. Mais on n'en est pas encore là puisque la nécessité de ce travail de coupure ne fait que se poser au stade du Bélier. Avec le culte d'Amon, le matriar-cat – règne du lunaire – demeure encore en Egypte.

C'est l'époque où Abraham n'est pas encore des-cendu du mont Sinaï, « montagne de la Lune », pour franchir la mer Rouge et créer la religion biblique à l'intérieur de laquelle la naissance de Christ symbolise le passage du lunaire au solaire. A l'origine Abraham était, comme tout le monde, adorateur de la Lune en la ville centrale du culte lunaire que fut Ur, capitale de la Chaldée. Pour accéder à une étape de conscience supérieure, il doit à la fois abandonner « la montagne de la Lune », franchir les eaux et, surtout, sacrifier un agneau à la place d'Isaac pour que le monde soit fon-dé. Autant d'étapes initiatiques, autant de pas franchis vers l'individuation chère à Jung, autant d'immolations des instincts primordiaux. Autant de chemin parcouru vers le monde du Père – et du patriarcat – grâce au sacrifice des liens originels.

Abraham signifie « père du bélier », et c'est en sacrifiant un bélier qu'il a fondé le monde du solaire – Christ resplendissant – comme le disent les chants de Pâques (2). L'étape de la naissance, de la vie tout juste fécondée, est bien rattachée au symbolisme du bélier sacrifié. Si les natifs du Bélier ont une furieuse et désobéissante envie d'exister, ce désir est encore bien désordonné et agressif ; tout le travail devra être effectué au cours de la vie.

Il existe en Egypte un autre Bélier sacré qui est l'emblème du dieu agraire Khoum, ce qui rajoute une analogie entre le principe de fécondation lié au signe du Bélier et la notion du début du monde. Khoum signifie « le modeleur du monde » car il modela l'œuf du monde sur un tour à potier et on l'identifia rapidement à un dieu de Nubie, Doudoun, qui arborait lui aussi une tête de bélier.

## b) L'initiation par le Feu

On retrouve la même figure du Bélier rattachée au début de la cosmogonie hindoue, avec la figure du dieu Agni, créateur du Cosmos, né de la friction de deux morceaux de bois secs et morts. Agni est « père des trois feux ». Les richesses sont sous sa domination. Des flammes jaillissent de ses lèvres et, de son corps, surgissent sept rayons de lumière : l'arc-en-ciel solaire. Les trois feux d'Agni sont le feu *vaishvânara* à l'est (dévolu à l'offrande divine), le feu *dakshina* au sud (dévolu au culte des Mânes), le feu *gârhapatya* à

---

2. Apocalypse, XIII, 8.

l'ouest (feu sacrificiel, feu d'évacuation et de passage à un autre état, dévolu à la cuisson des offrandes). En *gârhapatya* est établi le feu Bélier, feu originel, sacrificiel, « qui contient le Seigneur ». Cela nous renvoie au signe du Bélier dans le zodiaque sanskrit, Mesham, Aja *(ce qui n'a pas de naissance),* c'est-à-dire l'indifférencié dont sort la Création. L'état primaire, encore inexistant de l'Etre, se trouve à nouveau rattaché au symbolisme du Bélier.

Le feu est avant tout **symbole d'initiation.** Les trois signes de Feu du zodiaque racontent les trois stades de la progression et de la création de l'Etre à part entière. On passe de la matière du Bélier à la forme du Lion puis à la fusion qui se produit au niveau de la spiritualité en Sagittaire. C'est tout le passage de la vie à la renaissance, de la transmutation en profondeur de l'individu comme le dit Gaston Bachelard, natif du signe : « *La mort dans la flamme est la moins solitaire des morts. C'est vraiment une mort cosmique où tout un univers s'anéantit avec le penseur.* » Il est l'élément transmutateur de tout l'individu, portant en lui toutes les étapes de la transformation de l'être, la première d'entre elles se manifestant à travers l'impulsion sexuelle, désir vivant de vie, dont le feu est aussi symbole. Voici ce qu'en dit encore Gaston Bachelard : « *Redire que le feu est un élément, c'est réveiller les résonances sexuelles ; c'est penser la substance dans sa production, dans sa génération, c'est retrouver l'inspiration alchimique qui parlait d'une terre ou d'une eau que **le feu rend éléments.*** »

Feu rouge, comme l'est la première lueur du petit matin (donc froid), comme les premiers rayons du début du printemps… le feu Bélier en est encore au **stade premier de son parcours initiatique** dont l'apogée viendra avec le feu de midi, brûlant et jaune,

Toutankhamon, « image vivante d'Amon », figure centrale
du culte lunaire égyptien.

(Fresque du tombeau de Toutankhamon, musée du Caire.)

qui est celui du Lion, stade de la personnalité accomplie au niveau terrestre et socioculturel, et qui pourra passer alors à l'étape spirituelle du feu crépusculaire sagittairien.

Du fœtus primaire et sans nuance qu'est l'être à ce stade du zodiaque, les étapes de l'initiation par le feu doivent permettre de **créer un individu à part entière.** C'est peut-être la raison pour laquelle Kouvera, le fils de Shiva (dieu de la Destruction et de la Renaissance), lui-même dieu des Richesses qui sommeillent au fond de la terre – richesses encore incréées – se déplace sur un bélier. Au fond, ce fils issu de la reconstruction du monde – et donc porteur de toutes les richesses fondamentales de l'humanité – a encore bien des étapes de maturation à effectuer. On remarquera, dans tous ces mythes liés au signe du Bélier, la **prépondérance de la relation père-fils** et toute l'ambiguïté qui existe à être à la fois héritier et initiateur, celui qui *sait* finalement parce qu'il est le fils, mais qui a encore à reconstruire personnellement pour débuter une nouvelle étape et devenir ainsi père lui-même.

C'est dans cette dialectique que l'on comprend que tous les « pères de l'humanité » soient du signe du Bélier : Shiva qui naît et meurt à Pâques (fête cosmique qui symbolise le premier jour annuel de la victoire du Soleil sur la Lune), Christ (qui est conçu puis qui ressuscite à Pâques), Abraham (figure de prophète et d'éclaireur), Moïse (qui conduit son peuple d'Egypte en Israël, ce qui symbolise l'évolution d'un niveau de conscience à un autre [3]), Mahomet (qui joint en lui les deux aspects du Bélier, prophète et guerrier)… Ces analogies font certainement sens.

---

3. Voir, de Annick de Souzenelle : *L'Egypte intérieure* (Albin Michel).

Agni, dieu bicéphale du Feu, véhiculé par un bélier.

(Sculpture en bois ; musée Guimet, Paris.)

### c) Le symbolisme du serpent

Si Kouvera vit au cœur de la terre, là où demeurent tous les secrets, il se trouve bien au cœur de la demeure des démons. Le Dragon de l'astrologie chinoise, analogique au signe du Bélier, s'y trouve forcément aussi. Et c'est bien de lui que le Bélier, décidé à se lancer sur le chemin de l'initiation à lui-même, doit triompher. Nous retrouvons cela avec le mythe de Cernunnos, dieu gaulois dont le compagnon fidèle est un bélier. Or, ce dieu celte est surtout accompagné de serpents à tête de bélier, figure communément attribuée au Diable en personne. Mais qu'est-ce que le Diable, sinon le **détenteur des secrets,** la force vive de nos profondeurs inconscientes, avec toute la dimension éminemment sexuelle qui s'en dégage ? Tête de bélier, dard, phallus en érection, fécondation ou destruction… nous voilà au cœur de l'inconscient chargé et violent de ce signe.

Le serpent est à la fois symbole sexuel, symbole de désir transformateur et fécondateur, symbole d'initiation et de mue. Ces caractéristiques se manifestent souvent dans la vie des natifs soit par une fascination pour les serpents (comme c'est le cas pour Nicole Viloteau qui raconte dans son livre (4) cette passion qui lui fait parcourir le monde à la recherche d'espèces rares, dangereuses et inaccessibles), soit par une répulsion absolue (s'apparentant à une phobie) qui habite, terrorise et séduit tout en même temps.

En ce sens, la présence de serpents qui gardent l'Arche biblique contre une profanation humaine dans le film *les Aventuriers de l'arche perdue* – et l'horreur qu'ils suscitent chez un héros aussi marqué Bélier qu'Indiana Jones – est tout à fait parfaite !

A travers tous ces aspects, on voit bien que le Bélier est tout à la fois signe de **fécondité** et de renouveau, mais aussi puissance chthonienne – avec les capacités à la fois de création et de destruction, de joie intense et de violence noire, de désirs juvéniles et de désabusements profonds. C'est tout un monde à son état premier que le Bélier porte en lui et qu'il va mettre en œuvre avec courage, audace, énergie et envie, mais qu'il est capable à tout instant de « casser » sur un *coup de tête* ou sur un *coup de pompe,* suivant la manière dont il **fait la lumière sur ses profondeurs et dont il arrive à maîtriser ses instincts.**

---

4. Nicole Viloteau : *La Femme aux serpents* (Arthaud).

Le serpent, symbole des mystères orphiques, représentant l'Esprit créateur, lové autour de l'œuf que représente l'âme du futur initié. Le Bélier, tel le serpent, doit apprendre à canaliser et purifier les puissances chthoniennes pour évoluer.

(*L'Œuf morphique,* extrait de *An Analysis of Ancient Mythology,* de J. Bryant, 1777.)

Ce qu'en dit Alice A. Bailey (5), parlant d'Hercule, héros martien type, dans son premier travail relié au Bélier (la capture des cavales mangeuses d'hommes) confirme ce point : « *Ce premier travail marque le premier pas sur le "sentier du transfert". Le Bélier est le signe du pouvoir exercé vers l'extérieur, du déversement de l'énergie venant de Dieu ou de l'être humain, fils de Dieu. Cette énergie se déverse dans le monde des formes ainsi que dans le monde de l'être et de l'esprit. Les deux emplois de cette force dépendent de l'attention mentale de l'être qui l'utilise. Cela dépend s'il concentre son attention sur la prise de forme ou s'il foule le sentier de la libération de la matière. Il s'agit de savoir comment cette force de vie est appliquée. Le besoin de créer doit passer de la satisfaction du plaisir à l'impulsion, à la résurrection. Commencement physique et commencement spirituel,*

---

5. Voir, de Alice A. Bailey : *Les Douze Travaux d'Hercule* (Dervy-Livres).

*création physique et création spirituelle, telles sont les impulsions initiales ressenties en Bélier. Sur ce chemin, il est* **souvent un signe d'échec mais toujours de succès final.** *Son épreuve consiste à acquérir la maîtrise mentale dans le monde de la pensée. »*

Si le serpent se meut dans les profondeurs matérielles et secrètes, assorti d'une tête de bélier, il peut percer les couches opaques et y faire la lumière grâce à la maîtrise de la pensée, ainsi que le dit Thackeray : *« Sème une pensée et tu récolteras une action. Sème une action et tu récolteras une habitude. Sème une habitude et tu récolteras un caractère. Sème un caractère et tu récolteras une destinée. »* On pourrait ajouter une destinée choisie et maîtrisée, non une série d'impulsions obscures au gré desquelles l'être se laisserait ballotter.

Autant d'étapes initiatiques relatées par le très complet mythe de *Jason et de la Toison d'or,* héros juvénile lancé à la conquête de la toison bouclée d'un bélier divin, doré et ailé, dépouille du sacrifice des instincts primaires, elle aussi gardée par un dragon contre lequel toute la magie – faite de savoir et de sagesse – de l'ensorceleuse Médée doit se déployer pour faire parvenir Jason sur les rives de la maturité et lui permettre de retrouver son père. Finalement, tous les mythes initiatiques se rejoignent et prennent les mêmes figures symboliques pour toucher l'imaginaire.

### d) Mars, fils indigne et amant magnifique

Les étapes de la prise de conscience et la maîtrise des instincts semblent bien cependant avoir échappé à Mars, dieu régent du signe du Bélier, symbole en tout cas de l'état premier du signe. Voici ce que raconte le mythe : *« Fils de Zeus et d'Héra, Ariès-Mars a un*

*Mars,* miniature du *De Sphæra*
(manuscrit italien du xvᵉ siècle).

(Bibliothèque Estence, Modène.)

*caractère intraitable dû à son origine barbare, la
Thrace, pays des orages, des chevaux et des guerriers.
Sa puissance physique, ses instincts sanguinaires, ne
lui font aimer que les combats. Les jalousies et les
rumeurs l'habitent et son passage sème l'épouvante
au point qu'il ne fut jamais le fils digne de son père et
chéri de lui. Il se met dans des situations humiliantes,
faute de psychologie élémentaire, mais tient une solide
réputation d'amant magnifique. C'est ainsi qu'il arriva
à se laisser enfermer dans un vase treize mois durant
et qu'Hélios, le soleil, vint à mettre en lumière sa
conduite amorale en le prenant en flagrant délit
d'adultère avec la libertine Aphrodite-Vénus, son
amante préférée. Furieux d'avoir été joué, Ariès-Mars
transforma Hélios en coq qui, depuis, chante au lever
du soleil. Ariès-Mars eut beaucoup d'enfants, et pas
seulement d'Aphrodite-Vénus, qui furent tous bandits,
voleurs et redoutés, et particulièrement Phobos et
Déimos, la Terreur et la Crainte, les bien-nommés. »*

Mais tous les mythographes ne sont pas d'accord
sur le fait que Mars soit exclusivement le dieu de la
Guerre. Certains rappellent que, dans la version ancienne, il est aussi dieu des **premiers bourgeons** et de
la végétation qu'il protège, ce qui renvoie aux figures
analogiques des dieux égyptiens, hindous et celtes que
nous avons vues, et qui rappellent la notion de création et de destruction inhérente à la force vitale martienne. Les Romains choisirent Mars comme patron
protecteur et l'on peut lire, dans la grandeur et dans la
décadence alternées de l'Empire des Césars, l'illustra-
tion du principe cyclothymique martial, où l'énergie
primordiale peut créer des miracles mais où aussi, non
maîtrisée par le mental, elle peut muer le courage en
arrogance, la pugnacité en agressivité, le désir en viol
et la fougue en colère dévastatrice.

Mars voulant sortir des bras de Vénus pour aller à Troie
(toile de Jean Bardin, XVIII<sup>e</sup> siècle).

(Musée des Beaux-Arts, Orléans.)

# 3. Correspondances dans la mythologie égyptienne

Différente de l'astrologie occidentale dont elle est en partie l'origine, l'astrologie égyptienne apporte un autre éclairage aux signes et en découvre des aspects particuliers selon les périodes de naissance. On s'y référera pour élargir le champ de vision de son signe solaire occidental.

## a) Natifs du 21 au 31 mars : sous le signe d'Isis

Isis ou la patience : l'âme inscrite dans la plus lucide des quêtes, cette amoureuse superbe se fit messagère de la vie. Suprême magicienne, les orgueils et les mesquineries succombent devant elle, comme des lueurs trompeuses s'évanouissent au lever du jour clair. C'est en la puissance d'amour et de rédemption que la plus illustre des déesses égyptiennes trouve la force de protéger sous ses ailes tous ceux qui allaient dépérir d'amertume faute de croyance en la générosité sauvage des élans vitaux. Isis, seule et fière, stimulée par toute la force de l'attachement qui la voue à son frère et époux Osiris, est la mère de la nature vivante. Inlassable foyer de résurrection et d'indulgence profonde, Isis est souvent représentée sous la double protection de la croix ansée et d'un nouage, emblèmes de la perpétuation des origines et des descendances.

Naître sous l'exigeante protection d'Isis confère au natif une dimension de solidarité et d'union. Les natifs de cette période sont aptes à cultiver la noblesse de l'accueil. Il leur est recommandé d'aller là où ils pourront donner la vie et veiller sur elle. Il leur faut savoir accueillir, mais aussi apprendre à garder bien pures en leur âme leurs exigences, sans les croire trop cruellement remises en question lors de chaque déconvenue.

**Isis.**  **Thot.**

(Dessins : Editions Gendre-Cartax.)

– *Signes amis :* Osiris et Thot.
– *Couleurs bénéfiques :* bleu (femmes) et blanc (hommes)

## b) Natifs du 1er au 19 avril : sous le signe de Thot

L'oiseau ailé ibis déhanche sa silhouette sur la promenade des berges du fleuve, là où le Nil est prolongé par la monotonie vigoureuse des voies d'irrigation. C'est toujours modestement que ce dieu oiseau Thot trouve son envol pour donner quelques ingéniosités aux sens frustres des humains et, par compensation, communiquer à l'âme et à l'énergie une passion de connaître et de construire. Toute cette clairvoyance éloigne la désuétude, la ruse factice et l'impatient orgueil. L'enseignement de Thot pousse à inventer, à risquer sa propre voie dans le respect souvent anonyme de la tradition. La nature s'acharne à produire des maîtres éclairés qui, pour la dominer, doivent la servir sans prétention. Thot intervient comme la mémoire débonnaire et vigilante de cette sagesse. Patron des astronomes, des comptables, des guérisseurs et des enchanteurs, Thot est, des dieux de l'ancienne Egypte, celui qui exprime le mieux, et de façon très proche, la fermeté de la parole créatrice qu'il répète inlassablement à tout ce qui – humain ou végétal – donne aux rives du Nil leur fertilité.

Le natif Thot est enthousiaste, entreprenant et ne méprise rien ni personne, si ce n'est la médiocrité et la mesquinerie. Courageux, il aime à prendre des risques, à la condition de s'engager dans des œuvres dont les finalités vont dans le sens du dépassement de soi. Il ne peut un seul instant songer à manquer à sa parole ou à duper autrui.

– *Signes amis :* Bastet et Isis.
– *Couleurs bénéfiques :* blanc (femmes) et rose (hommes).

✧◖∞◗✧

Ne prenez pas ces mythes pour des historiettes sans intérêt !

A des niveaux plus ou moins importants, ces images tapissent l'imaginaire des natifs, et ces « drames » se vivent en chacun d'eux, aux moments clefs de leur existence. Les avoir repris ici en détail a pour but de mieux faire comprendre les moteurs essentiels de la personnalité.

♒ ♓ ♈ ♉ ♊ ♋ ♌ ♍ ♎ ♏ ♐ ♑

## 4. **Synthèse**

*Parier sur ses instincts puis s'en libérer.*

Courageux, impulsif, créateur et dynamique, mais aussi colérique, têtu, agressif et destructeur, chaque Bélier devrait réfléchir plus avant aux moteurs qui le gouvernent et le font certainement évoluer en le poussant à se libérer de toutes ses attaches originelles. Mais il les regrette aussitôt et s'en trouve finalement tributaire tant qu'il n'a pas acquis la maîtrise de ses instincts et de ses désirs et qu'il n'a pas compris ce qui le pousse à agir – mais aussi à détruire – l'empêchant finalement d'aller de l'avant et, surtout, de finir dans de bonnes conditions ce qui a été entrepris.

La violence – salvatrice et saine à son démarrage – devient un danger lorsqu'elle se transforme en bombe mal maîtrisée, prête à éclater en pleine tête du natif ou de son entourage. Le danger le plus grand est que les liens en soient rompus alors que l'union et le partage restent les seules ambitions véritables du Bélier et les objectifs les plus importants à ses yeux.

S'il se maîtrise bien lui-même et s'il agit en individu mature, le Bélier devient celui dont plus personne ne peut se passer – à tous les niveaux – et rien ne peut alors le rendre plus heureux et plus motivé…

Le Bélier, dans *De Astrorum Sciencia,* de Léopold d'Autriche.

(Augsbourg, 1489.)

# 5. Résumé : forces et faiblesses du Bélier

## a) Les forces du signe

❈ Enthousiasme, ardeur, émerveillement…
❈ Innovation, création, esprit d'entreprise, initiative…
❈ Protection, esprit chevaleresque, sens de la mission…
❈ Noblesse de cœur, humanisme, sensibilité…
❈ Caractère entier, authenticité, respect de l'engagement et de la parole…
❈ Courage, combativité, esprit pionnier, pugnacité…
❈ Résistance physique, dynamisme, positivisme…
❈ Puissance sexuelle, recherche du plaisir, générosité de soi…
❈ Capacité à renaître et à rénover…
❈ Franchise, exigence, loyauté…
❈ Rapidité d'esprit et d'action…

## b) Les faiblesses du signe

❈ Naïveté, légèreté, infantilisme…
❈ Indiscipline notoire, provocation, négation chronique, cynisme…
❈ Désenchantement, solitude, insécurité…
❈ Manque de gestion, débridement, vues à court terme…
❈ Parti pris, étroitesse, « borné »…
❈ Prodigalité, comédie, inconstance…
❈ Fatigabilité, mauvaise gestion énergétique…
❈ Fureurs, agressivité, colère, destruction…
❈ Emphase de l'ego, fausse sensibilité, dureté…
❈ Maladresse, manque de diplomatie et de psychologie…
❈ Tendance au « vite fait, mal fait »…

# III

# Les ascendants du Bélier

Comme nous l'avons dit dans l'« Introduction », le signe ascendant, représentant la maison I, reflète votre personnalité.

Sur le plan astronomique, si le signe solaire indique la position du Soleil au mois de la naissance, l'ascendant pointe la position du Soleil aux jour et heure de naissance. Si le Soleil indique métaphoriquement la façon dont on perçoit la lumière, l'ascendant indique la manière dont on voit « midi à sa porte » et, à l'intérieur d'un même signe, chaque ascendant permet de le voir différemment, c'est-à-dire de **percevoir la réalité sous une autre facette...**

En ce sens, l'ascendant est un miroir grossissant à travers le prisme duquel on se voit et l'on est vu. Il est donc très important et, afin de mieux en cerner les caractéristiques générales, nous vous recommandons vivement de lire l'ouvrage de cette collection qui lui est consacré. En attendant, vous trouverez ici une première approche succincte de votre signe solaire avec les correctifs donnés par les 12 ascendants.

Si vous ne connaissez pas encore le signe de votre ascendant, son calcul – sans être très complexe – est néanmoins assez long et délicat, devant se référer à quatre tableaux différents. Nous vous conseillons de vous le faire préciser instantanément par un serveur astrologique télématique ou un ordinateur de calculs astrologiques.

Astrologues
arabes effec-
tuant des
observations.
(Gravure du
XVIe siècle.)

## 1. Bélier/ascendant Bélier

Un Bélier « au carré », c'est on ne peut plus bouil-
lonnant, difficile à maîtriser et à retenir. Ces natifs
n'échappent pas à leur égocentrisme, fonctionnent
dans le jeu et le défi permanents, décident de tout, tout
de suite mais pas définitivement. Finalement très hési-
tants, ils ne demandent qu'à s'adapter à leur entourage
mais s'y prennent de telle sorte qu'on les prend pour
les personnes les plus solitaires et les plus autonomes
qui soient… Grave méprise, qu'ils vivent d'ailleurs
souvent comme une sacrée injustice.

Les femmes ont un abord plus « viril » que les
hommes et se montrent plus cérébrales. Les hommes
cachent mal leur faiblesse ; ils rêvent d'entente parfaite avec un identique, mais n'en passent pas moins
leur temps à s'opposer à tout ce qui bouge.

## 2. Bélier/ascendant Taureau

Allure plus calme, moins « pétaradante » et péremp-
toire que celle des Béliers types. La volonté est plus
souvent suivie d'effets concrets et ils savent mieux
lier ce qu'ils pensent avec ce qu'ils font et à plus long

terme. Ils tiennent à leurs acquis, à leur maison, aux beaux objets ; ils aiment les tissus, les câlins qui durent, les amis et les veillées à discuter de projets partagés. Forts, artistes et travailleurs, ils sont susceptibles et tatillons.

Leur affectivité les gouverne, produisant le meilleur comme le pire, les rendant finalement bien vulnérables, soumis aux secousses des foules de sentiments qui les assaillent et font changer leur paysage intérieur à toute allure. Passant ainsi du rire aux larmes, de la joie intense à la dépression vraie, ils finissent par s'user et ne plus suivre leurs élans affectifs avec autant d'enthousiasme et de confiance. Le doute pourrait les assaillir, ce qui est bien le pire qui puisse leur arriver. Ils voudraient tant que tout soit clair, net, simple (simplet même)… mais ils doivent bien apprendre que l'on n'est pas toujours caressé dans le sens du poil !

## 3. Bélier/ascendant Gémeaux ♈ ♊

Attention, voici venir des Rambos… bien fragiles ! Sensibles, vifs, intelligents (très intelligents), cérébraux, éminemment créatifs et imaginatifs, ils n'en sont pas moins instables, agités, dispersés et aux prises avec une nervosité chronique. Physiques autant qu'émotifs, ils ont en permanence besoin d'un public-miroir dans lequel se trouver beaux, forts, imbattables et vis-à-vis duquel tenir leur rôle d'Indiana Jones invincible, droit, juste – sinon justicier – et entreprenant. Espiègles et charmeurs, ils sont la joie de vivre incarnée ; l'humour est leur arme et ils sont toujours prêts à ne voir que les meilleurs côtés, positifs et vivaces, des êtres et des choses.

Mais cela peut se transformer en cynisme, car la vie n'est pas aussi claire que l'est leur esprit et parce qu'ils sont bien trop intelligents pour ne pas voir l'envers des décors. Ils se trimbalent ainsi un fond de lucidité désabusée, une clarté d'esprit à laquelle leur joie de vivre ne leur permet pas d'échapper. Cela vaut surtout pour les natives, qui sont de formidables filles un rien naïves, bien fines et malignes… mais si fragiles au fond. Ces natifs fonctionnent surtout si l'entourage leur place des limites et des repères permanents et si la gestion du quotidien leur est épargnée.

## 4. Bélier/ascendant Cancer ♈ ♋

Il y a comme une nostalgie de l'enfance qui circule dans cette composante, une difficulté à accueillir la maturité sinistre et si contraignante. Imaginatifs et velléitaires, ils poursuivent leur rêve qui, parfois et heureusement, devient leur réalité. Cela en fait en tout cas des créateurs et des êtres capables d'abattre des montagnes pour que triomphe leur idée fixe et que leur idéal prenne corps au niveau du quotidien.

Les femmes font un peu « fillettes tendres » aux contours de garçons manqués, qu'il faut tenir éveillées ; les hommes, de charmants baroudeurs au cœur d'artichaut, avec de grandes perspectives humanitaires à la fois spirituelles et actives. Ces natifs s'imaginent vivre en fraternité et tentent de ne pas se réveiller trop brutalement, eux, les petits princes investis d'une mission de courage et d'enchantement comme il en existe seulement dans les contes de fées ou dans le manuel des Castors Juniors. Ils n'entendent que le langage du silence et du cœur.

## 5. Bélier/ascendant Lion ♈ ♌

Audace, dynamisme, bravoure, magnanimité et pugnacité, mais aussi loyalisme, générosité, loyauté, grandeur et brillance, dans un monde devenu plutôt frileux et « rapetissé »… on manquait bien de tels sur-

hommes ! On y verra aussi, néanmoins, grandiloquen-
ce, emphase, excès, violence et un orgueil en or massif
qui fait relever tous les défis, qui fait s'inscrire pour
tous les Paris-Dakar du monde – qu'ils soient des
quêtes d'absolu physique ou humaniste – pourvu que
cela permette aux natifs de se dépasser et d'avoir
d'eux-mêmes l'image la plus construite et la plus posi-
tive.

Il leur arrive souvent d'être déçus de ne pas trouver
d'emploi de héros à la mesure de leur attente et de
leur caractère. Les femmes en particulier trouvent
difficilement la possibilité d'exprimer leur force de
caractère : dupes d'elles-mêmes, elles veulent qu'on
les courtise mais en prennent volontiers l'initiative.
Les hommes sont des conquérants insatiables, des
amants infatigables, des *pater familias* accomplis et
des dirigeants d'acier, cherchant toujours une âme à
protéger, une mission à faire aboutir. On les « pêche »
par leur affectif – grand et fort – qui les gouverne et
parfois les éblouit, voire les aveugle…

## 6. Bélier/ascendant Vierge

Les natifs sont écartelés entre des contradictions
profondes qui les rendent difficiles à eux-mêmes et
pas bien faciles pour les autres. Ils se sentent forte-
ment piégés entre une pulsion propulsive et expansive
venue de leur soleil Bélier, et une angoisse de perte et
d'insécurité qui les pousse plutôt à s'autoprotéger et à
s'autolimiter, à réfléchir mille fois avant d'entre-
prendre une chose. Finalement, leur existence devient
une suite de va-et-vient dans lesquels ils peuvent, au
mieux, trouver un semblant d'équilibre. Suivant les
domaines, l'un ou l'autre aspect de leur personnalité
va l'emporter. Ils se rêvent en héros totalement libres,
la bride sur le cou, chevauchant les aventures et les

conquêtes, mais le passage à l'acte est nettement plus problématique. Ils choisissent le moindre risque et rongent leur frein de n'avoir pas osé sauter le pas.

Néanmoins, leur sens pratique les aide à réaliser des choses et à apparaître plus sérieux qu'un Bélier type. Ils vont traditionnellement au bout de leurs entreprises. Leur sérieux les étouffe mais leur évite tout autant de mésaventures. Les hommes critiquent tout et se montrent plus restreints qu'ils ne l'affirment au départ ; en même temps, ils tiendront les engagements, même réduits, qu'ils ont pris. Les femmes sont de véritables soldats, très promptes à servir et à se dévouer, de vraies missionnées en jupons.

Ces natifs se méfient de l'amour comme de la peste, mais attendent toujours – avec un romantisme incurable – l'Amour unique et merveilleux qui va les transformer. En somme, il faut les rassurer, les équilibrer, les tranquilliser et aussi leur rire au nez… Avec le temps, ils deviennent plus souples et s'accordent plus de choses sans culpabiliser.

## 7. Bélier/ascendant Balance

Ils portent en eux leur double, pareils au portrait intérieur de Dorian Gray cher à Oscar Wilde. Plus que les autres encore, ils aspirent à l'union, à l'affectivité partagée et constructive, à l'harmonie et à la paix des cœurs. Mais leur vie intérieure, fort agitée et fort contradictoire, ne facilite pas vraiment leurs perspectives conjugales. Ils n'ont d'autre désir que celui de vous conquérir complètement, de vous épouser vite fait. Les hommes surtout, qui distillent une sorte d'urgence qui en séduit certaines et fait fuir les autres. Les femmes jouent plus sur la carte de la séduction tenace et efficace, puis se laissent faire sans qu'on y prenne garde.

*Allégorie de la Guerre* (toile de Gérard de Lairesse).
(XVIIe siècle ; musée des Beaux-Arts, Orléans.)

Ces natifs « se trimbalent » un fond de tristesse, quelque chose qui les met face à leurs extrêmes et ne les laisse pas en repos. Ils se sentent comme s'ils devaient en permanence choisir l'un de leurs aspects contre l'autre et redoutent de renoncer à leur liberté tout en ne pensant qu'à cela. Beaucoup de gentillesse, surtout une sorte de naïveté qui leur fait croire longtemps – et malgré tout – que *« tout le monde est gentil, tout le monde est beau »*... mais attention, la mélancolie leur tombe dessus comme une épidémie mortelle à chaque rupture et à chaque blessure amoureuse, et celles-ci sont bien vite arrivées !

## 8. Bélier/ascendant Scorpion ♈ ♏

Une présence hors du commun, une personnalité de roc et une combativité incroyable. Une violence aussi – dévastatrice – d'autant qu'elle est incontrôlée et pulsionnelle, fusant sans que même l'intéressé s'en rende compte ni en mesure les effets, autant sur lui-même que sur les autres. L'inconscient est aux prises avec les désirs de vie et de mort les plus violents qui soient, et avec une agressivité pas toujours facile à accepter. Cela donne aussi une capacité à faire plier les montagnes les plus hautes et à pulvériser tous les obstacles qui se présenteraient en cours de route. Mais les désirs gouvernent trop les natifs qui « marchent » tirés par leur sexualité mal canalisée, surtout dans leur jeunesse ardente et passionnée.

En général on se souvient d'eux, avec délectation ou avec horreur mais surtout pas avec indifférence. Séduction presque diabolique, excès où se conjuguent la force physique et la force intuitive et psychique. Un puritanisme de fond néanmoins, malgré leur côté « grande gueule », et une sorte de ferveur proche du religieux leur donnent leur côté « tourmenté » et « jus-

qu'au-boutiste ». Il faut vraiment beaucoup les comprendre, les aimer, les supporter et désamorcer leur
violence.

## 9. Bélier/ascendant Sagittaire

Impulsivité, indépendance, optimisme, spiritualité
et grandeur d'âme. Sensualité débordante aussi, avec
une envie de manger la vie à pleines dents et de tout
faire, coûte que coûte, pour que ce soient les valeurs
positives et vivantes qui gagnent contre tout aspect
négatif et mortifère de l'existence. Cela fait les Zorros
les plus efficaces, mais aussi les plus soumis aux bles-
sures d'une vie bien plus ordinaire que ce qu'ils voudraient croire. Le cyclothymisme, du coup, est obli-
gatoire, avec des grands gouffres de déception et de
découragement, presque quelque chose comme les
mots du Christ sur la croix : *« Mon Dieu, mon Dieu
pourquoi m'as-tu abandonné ? » ;* puis la vie revient,
avec grandeur, emphase et tempérament.

Ce sont des jouisseurs quand même ; ils ont des
ressources pour tous, y compris pour eux-mêmes, à
condition qu'ils sachent les canaliser dans l'action et
la dévotion humanitaires. Ils servent une cause et,
lorsqu'ils le font, nul ne peut les égaler en efficacité et
en clairvoyance. De beaux êtres qui voyagent, protè-
gent et se coltinent bien des canards boiteux à force
d'incarner Zeus sur terre…

## 10. Bélier/ ascendant Capricorne

Structure difficile à vivre, mais qui ne présente pas
que des inconvénients : en effet, l'aspect fermé et
prudent du Capricorne empêche l'aspect Bélier de
faire trop de bêtises et de dépenser une énergie qu'on
a toujours intérêt à garder un peu pour soi. Le côté
Bélier, en revanche, permet d'être optimiste et auda-

cieux et de ne pas tomber dans les limitations et les
scléroses capricorniennes qui viendraient presque faire
renoncer à la vie vraie. La combinaison fait de bons
bâtisseurs qui allient l'impulsion du désir de construire
à la concrétisation et au labeur qui permettent d'aller
jusqu'au bout de l'idée et de la transformer en réalité.

Cette structure augmente néanmoins le degré
d'exigence et de sévérité, mais aussi la pureté intérieure et la recherche d'authenticité. Les natifs sont
très profondément heurtés par les mesquineries et le
manquement à la parole. Ils sont comme des rocs de
sincérité, même maladroitement exprimée, et leur
cœur et leur fidélité en prennent souvent un coup. Il
faut leur apporter du rire, de la légèreté, de la dérision
et réveiller leur sensualité très forte – mais un peu
refroidie sous une couche de frustration et de culpabi-
lité. Et pourtant, quelle chaleur humaine sous cette
glace !

## 11. Bélier/ascendant Verseau

Révoltés en permanence, asociaux parfois, ils démar-
rent au quart de tour, s'envolent, veulent en permanence
révolutionner le monde puis reviennent à leurs valeurs
anciennes sans s'en satisfaire. Ils confondent ainsi
souvent nouveauté et désordre, indépendance et solitude, originalité et maladresse, ce qui ne leur fait pas
du bien car ils jurent toujours par l'altruisme et la solidarité, mais foutent tout par terre en voulant jouer les
chefs. Les hommes sont des tourbillons fuyants qui
échappent et qui s'esquivent. Les femmes sont consi-
dérées comme des originales un peu dingues, mais
quelle fraîcheur chez ces êtres !

Plus faits au fond pour l'amitié amoureuse que
pour quoi que ce soit d'autre, ils n'ont de famille que
celle de leurs affinités affectives larges, en dehors des

liens du sang. Il faut les suivre, les rattraper au vol, les aider à atterrir, ne serait-ce qu'un instant, histoire de voir les étoiles briller dans leur regard si vif…

## 12. Bélier/ascendant Poissons

Ils vivent dans un autre monde, branchés qu'ils sont sur l'invisible qu'ils voient dans le visible et sur lequel ils s'appuient pour construire du concret. Mélange de force de caractère et de conviction dans leur action et dans leur capacité personnelle à faire exister les choses, et de lymphatisme qui les entraînerait plutôt vers la certitude que rien n'arrive que parce que cela doit arriver sans qu'on agisse. Ils en deviennent artistes ou alcooliques… Un côté un peu démiurge et fascinant. Une vulnérabilité alliée à une instabilité, une sexualité ambiguë, inexplicablement soumise puis sadique. Ils sont, en fait, hypersensibles.

Les hommes errent un peu, en quête de gens sains, solides et simples qui leur servent de port d'attache. Les femmes veulent absolument qu'on s'occupe d'elles, puis finissent par s'occuper de tout et de tous. Un idéalisme aussi, une sorte de mysticisme de fond qui les entraîne dans les quêtes les plus diverses. Il faut leur apporter un grand bol d'air frais, mais aussi une grande chope d'idéalisme car ils vivent dans les confins de l'âme les plus archaïques et les plus retirés de la nature humaine…

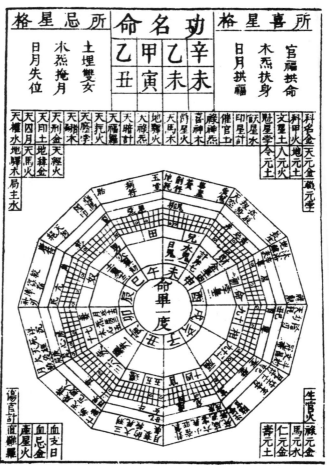

Thème natal chinois complet.

# IV

# Energie et santé

## 1. Lecture cosmogénétique du zodiaque

Poussière d'étoiles, jumeau énergétique du cristal, de l'océan autant que du chimpanzé (lui-même plus proche de l'homme que du gorille…), l'humain reste un élément de la matrice cosmique qui, par l'intermédiaire de la matrice-mère, lui a permis de s'incarner… par un hasard que même les astrophysiciens les plus avancés sont toujours en train de chercher à découvrir et à expliquer. La plus grande des magies – celle du mouvement permanent des ondes vibratoires – se joue *autour* de nous, *en* nous, *avec* nous, *grâce* à nous, mais aussi parfois *malgré* nous lorsque nous l'ignorons. Les recherches scientifiques les plus pointues viennent aujourd'hui rejoindre la Tradition pour nous redonner conscience de notre identité énergétique sur laquelle nous continuons de fonctionner et qui nous spécifie tout particulièrement.

**L'astrologie nous connecte directement sur cet univers vibratoire dont nous sommes issus** et que nous portons en nous, à travers l'équilibre – ou le déséquilibre – qui s'établit entre nos trois corps (physique, mental et éthérique). Un thème astrologique est ainsi la carte des circulations énergétiques harmoniques ou disharmoniques dont nous sommes journellement le théâtre ; elle permet de voir immédiatement

**le type des énergies qui sont véhiculées par les planètes** en présence, et par les aspects que celles-ci forment entre elles. Au moment où l'Occident retrouve le sens de l'énergie et où pullulent les tentatives de mieux l'appréhender pour mieux la maîtriser, il est bon de rappeler que l'astrologie est, depuis des millénaires, le premier outil que l'homme se soit trouvé pour se replacer dans l'univers vibratoire dont il est né et pour tenter d'en percevoir le sens et les possibles illuminations.

A chaque planète correspond ainsi une *énergie précise* et à chaque signe correspond une *identité énergétique* qui trouve ses manifestations dans tous les domaines du vécu ; en particulier lorsque la circulation ne se fait pas et que s'installent les nœuds gordiens qui bloquent l'harmonie, dans le domaine de la santé apparaissent alors divers troubles, voire des maladies.

Puisque chaque signe fonctionne sur une énergie précise qu'il utilise toujours d'une manière chronique, les déséquilibres et les troubles qui le guettent peuvent être répertoriés et corrigés. C'est alors la **recherche d'un meilleur équilibre** entre *excès* et *manques* qui rétablit le bon fonctionnement de la circulation énergétique et du bien-être général de l'individu.

## 2. Les mots clés de l'énergie Bélier

– **Dépense :** le Bélier brûle ses potentiels sans compter. Il épuise ses réserves comme si elles ne lui appartenaient pas. Il met son corps à l'épreuve comme s'il n'était pas le sien. Il paie de sa personne la réussite que son esprit a projetée. Fatigable, avec une énergie finalement en dents de scie, le Bélier semble se régénérer dans le fait de s'épuiser.

L'homme zodiacal ou les correspondances entre les organes de l'homme – créature la plus parfaite du cosmos – et les planètes.
(Extrait des *Heures du duc de Berry,* enluminure du XVᵉ siècle.)

– **Duel :** son énergie est déterminée par le duel, ce qui implique tensions, résistances, rigidité ligamentaire et risques de cassures, de craquements et de déminéralisation. Lorsqu'il est dans l'opposition, le Bélier sent ses forces revenir et jamais autant que dans ces moments-là il ne se sent en forme.

– **Récupération :** le Bélier se dépense-t-il vraiment sans compter ? On peut dire qu'il ne dilapide que ce qu'il possède après tout, c'est-à-dire qu'il joue de ses capacités de régénération phénoménales. Amoureux des cycles qui recommencent, il se trouve toujours regonflé à bloc dès que le printemps revient, qu'une nouvelle aventure commence, qu'un nouveau projet pointe son nez, qu'un nouvel amour ou un nouveau désir lui redonnent toutes les raisons d'avoir de l'espoir et de combattre à nouveau pour abattre tous les obstacles.

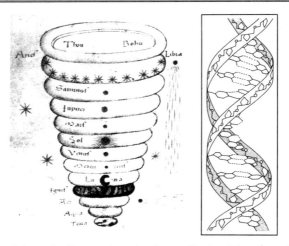

Le schéma de l'ascension mystique, illustrant les énergies planétaires marquant les paliers de l'évolution de la conscience (manuscrit d'astrologie du XVᵉ siècle, à gauche), se retrouve dans la structure aujourd'hui connue de la molécule d'A.D.N. (à droite). Confirmé par la théorie des fractals, récemment découverte en physique, le lien entre le macrocosme et le microcosme est enseigné par la Tradition depuis des siècles. Par l'existence de ses trois corps, l'homme participe à son origine cosmique.

# 3. Les correspondances énergétiques

## a) La Tradition indienne

Avec la Balance, le Bélier est analogique à l'**Anatha chakra,** ou *chakra du cœur* de la Tradition indienne, quatrième chakra (1) et premier à poser les problématiques propres aux signes d'Air et de Feu.

Les trois axes précédents étaient ceux des signes d'Eau et de Terre, cumulant des énergies répertoriées dans la Tradition indienne comme étant celles qui, dans leur puissance, absorbent tous les aspects du monde matériel et corporel que le yogi doit assimiler puis, à partir de ce stade de l'*Anatha,* consumer et évacuer. A ce niveau de transmutation énergétique, le primordial devient plus subtil et s'allège grâce à la combinaison de l'Air et du Feu, combinaison rendue possible par l'action du *prâna,* le souffle.

Symboliquement, le cœur est l'organe qui ne peut fonctionner seul puisqu'il est fait pour recevoir et distribuer en assurant la jonction entre les flux de sang bleu et de sang rouge. Il est une métaphore de la nécessité à co-exister de façon équilibrée. La correspondance de ce chakra avec le Bélier insiste sur la nécessité du signe à **intégrer la nécessité des échanges** et à accepter et à **dédramatiser les interrelations affectives** dont il est tellement tributaire. L'échange d'énergie qui se produit à ce chakra doit conduire à des stades supérieurs de libération et d'allégement – à la fois du mental et de l'émotif.

---

1. *Chakra,* ou centre d'énergie. Le corps humain en comporte sept. Voir, de Lilla Bek : *Vers la lumière. L'éveil de vos centres énergétiques* (Editions Dangles).

## b) L'énergie colorée : Vert = harmonie par le conflit

Le nom de ce quatrième rayon lumineux peut paraître contradictoire, mais il indique bien la voie par laquelle les personnes caractérisées par lui cherchent leur accomplissement. Cette voie d'**alternance du conflit et de l'harmonie** est associée au règne humain dans son ensemble et signe chacun des épisodes du développement de l'humanité. Cependant, il est essentiel de comprendre que si le conflit représente souvent le moyen immédiat, **l'harmonie reste toujours le but** de ce rayon, même si une lutte constante prédomine et vient créer des tensions à l'intérieur même du fonctionnement de l'énergie.

Les individus sous l'influence de ce quatrième rayon lumineux cherchent à résoudre les éléments d'harmonie « en créant le conflit ». Par leurs affinités avec la beauté et la sensibilité, ils sont vaguement conscients de niveaux d'harmonie plus profonds et sont ainsi la proie de l'incitation qui les pousse à enquêter pour découvrir toute opposition à l'harmonie.

L'autre cause du conflit vient d'une activité inégale de ces individus : d'un côté ils sont sans cesse dans l'action et dans l'agitation, sinon en lutte permanente, mais d'un autre côté l'inertie peut les paralyser complètement et apporter découragement, indécision, vacillement et versatilité pour dissiper ainsi leurs forces jusqu'à les annuler, malgré leurs très nombreux talents. Le talent et l'importance des ressources restent néanmoins ce qui les caractérise, même si ces natifs ne s'en rendent pas bien compte, ne sachant pas toujours gérer efficacement leurs moyens.

La façon de vivre et d'exprimer l'énergie de ce rayon dépend beaucoup de la maturité et du niveau de

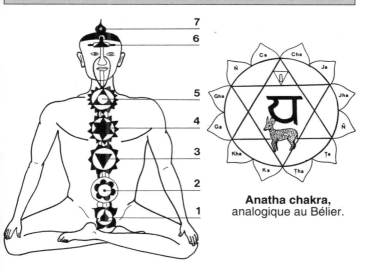

**Anatha chakra,**
analogique au Bélier.

7. **SAHARSRARA** (chakra coronal – Porte du Ciel)
*Pierre de rééquilibrage :* diamant.
6. **AJNA** (chakra frontal – Troisième œil)
Axe LION-VERSEAU.
*Pierre de rééquilibrage :* jaspe.
5. **VISUDDHA** (chakra laryngé – Gorge)
Axe GÉMEAUX-SAGITTAIRE.
*Pierre de rééquilibrage :* émeraude.
4. **ANATHA** (chakra cardiaque – Cœur)
Axe BÉLIER-BALANCE.
*Pierre de rééquilibrage :* rubis.
3. **MANIPURA** (chakra ombilical – Solaire)
Axe VIERGE-POISSONS.
*Pierre de rééquilibrage :* rubis.
2. **SVADHISTHANA** (chakra sexuel – Sacré)
Axe CANCER-CAPRICORNE.
*Pierre de rééquilibrage :* topaze.
1. **MULADHARA** (chakra coccygien – Racine)
Axe TAUREAU (kundalini)-SCORPION.
*Pierre de rééquilibrage :* améthyste.

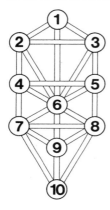

Les Hébreux – comme les Chinois et les Indiens – ont conceptualisé les interrelations énergétiques entre l'homme et le cosmos. Ici, on trouve une mise en correspondance entre l'Arbre des Séphiroth de la tradition juive et les planètes :

1. **Kether,** la Couronne = *Primum Mobile* – Uranus.

2. **Binah,** l'Intelligence = Saturne.

3. **Hochmach,** la Sagesse = Neptune.

4. **Din,** la Justice = Mars.

5. **Hesed,** la Miséricorde = Jupiter.

6. **Tipheret,** la Beauté = le Soleil.

7. **Hod,** la Gloire = Mercure.

8. **Netzah,** la Victoire = Vénus.

9. **Yesod,** le Fondement = la Lune.

10. **Malkuth,** le Royaume = Pluton.

conscience de l'individu. Deux aspects cohabitent, en fait, dans le même rayon, représentant respectivement l'aspect *conflit* ou l'aspect *harmonie :* le type artiste et le type guerrier. Le Bélier, s'il est très concerné par toutes les caractéristiques de ce rayon et s'il porte en lui les deux versants de ce rayon, se positionnerait d'emblée du côté du type guerrier dont le moyen d'action est plus celui du conflit que celui de l'harmonie, même si, justement, nul autant que lui ne perçoit à ce point l'harmonie qui est au bout du chemin. Aussi le pouvoir salutaire de la volonté est-il sérieusement requis pour ne pas le dévier de son but et le rendre capable de **transcender les oppositions** qui l'ensorcellent pour atteindre un niveau plus élevé que la simple confrontation, un point de stabilisation où **la rédemption et l'équilibre** deviennent enfin possibles.

### c) Le méridien chinois : Intestin grêle = yang rouge

On ne s'étonnera pas de trouver douze méridiens attribués chacun à un signe dans l'ensemble des douze ouvrages qui constituent la présente étude – qui se veut la plus exhaustive possible – des signes zodiacaux, de leur symbolique et de leurs correspondances énergétiques. On considère d'ordinaire huit trigrammes, représentant huit commandes de fonction. Or il y a douze corps éthériques de méridiens, qui ne peuvent se voir que si on n'occulte pas l'existence de quatre figures à deux traits qui correspondent non pas aux planètes, mais aux **luminaires** que sont le Soleil et la Lune. Les deux traits yin correspondent à la Lune et à la commande de fonction Maître du cœur dans le signe du Cancer.

Les deux traits yang correspondent au Soleil et à la commande de fonction Triple réchauffeur dans le Lion. C'est en rétablissant ces deux luminaires que l'on parvient à établir une correspondance logique entre le système des Cinq éléments chinois et le système des six axes de l'astrologie occidentale. C'est Marguerite de Surany qui, grâce à sa connaissance de l'énergétique chinoise, a rétabli cette corrélation (2).

Méridien Intestin grêle – **Bélier**                ▬▬▬▬▬ : Yang
                                                    ▬▬  ▬▬ : Yin

Le trigramme *K'ien,* pur yang, exalte la fermeté
et la force créatrice.

Dans la médecine traditionnelle chinoise, le méridien Intestin grêle joue le rôle de « Ministre qui reçoit

2. Voir, de Marguerite de Surany : *L'Astrologie médicale Orient/Occident* (Le Rocher, épuisé).

les échanges ». Il est le fonctionnaire chargé des richesses et, à ce titre, exerce une fonction primordiale de **producteur d'énergie vitale,** grâce à sa capacité à transformer les aliments morts en molécules vivantes selon la volonté de l'individu ou ses besoins. Il donne vitalité et rajeunissement après avoir reçu et trié les récoltes de l'organisme. Il préside à la division des liquides et des solides, du pur et de l'impur ; l'énergie passe alors au méridien Rate-Pancréas qui la distribue. On peut comparer ce méridien Intestin grêle à une usine atomique : son travail intensif est aidé par une énergie vitale active, puissante, sans cesse renouvelée et renouvelable, qui empêche la fatigue mentale, psychique et physique de se produire ou de durer trop longtemps. Il donne ainsi les capacités de « repartir »,

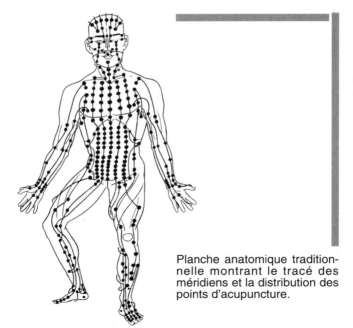

Planche anatomique traditionnelle montrant le tracé des méridiens et la distribution des points d'acupuncture.

ce qui est fondamental pour le Bélier tel que nous l'avons vu jusqu'ici.

Les anciens Chinois voyaient dans ce méridien la possibilité de **créer des changements,** d'entraîner des « mutations qui servent à faire comprendre à l'homme des choses transcendantales ». Son pouvoir est en effet de faire éclater la grosse molécule d'albumine des protéines qui est différente pour chacun. On comprend alors que plus les énergies s'affinent, plus l'homme se dégage des jouissances matérielles, plus son cœur s'élève et plus l'énergie de la molécule d'albumine des protéines est puissante, entraînant changements et mutations. Un des points du méridien Intestin grêle est « le Principe céleste », et il n'est pas là par hasard !...

Il agit sur la **vue** et sur l'**ouïe,** sur leur bon fonctionnement mais aussi sur leur affinement et leur transmutation. Ce que nous voyons et entendons peut devenir de plus en plus subtil et pur. Le Bélier, par excellence, a besoin de cet affinement-là pour quitter ses états d'opposition et de fureur primordiaux. En bon état, ce méridien donne **puissance** et **vitalité,** un dynamisme à toute épreuve et une activité efficace et régulière. Il aide à récupérer des chocs, forme un individu et **le différencie de tous les autres.** La notion d'unicité et de naissance liée au Bélier se retrouve encore ici.

Ce méridien se recharge **entre 13 et 15 heures,** dans l'onde martienne rouge et yang. Il exerce sa force par le vaisseau Merveilleux Tou-mo qui coule dans la moelle épinière.

**L'émotivité le trouble** et induit des dysfonctionnements qui rendent son visage écarlate, le font beaucoup transpirer et beaucoup uriner. Le cœur peut être fatigable et les maux de gorge et d'oreilles sont fréquents. D'autres conséquences du déséquilibre de ce

**Correspondances énergétiques entre méridiens d'acupuncture chinois et signes astrologiques** : saisons, éléments, énergies, organes et viscères, heures de recharge énergétique, couleurs *(cf. dessin ci-contre).*

**BÉLIER :** méridien *Intestin grêle* – Eté, Feu, chaleur – Langue, cœur, vaisseaux – 13 à 15 heures – Onde rouge.

**TAUREAU :** méridien *Poumons* – Automne, Métal, sécheresse – Poumons, poils, peau, nez – 3 à 5 heures – Onde vert émeraude.

**GÉMEAUX :** méridien *Vessie* – Hiver, Eau, froid – Cheveux, oreilles, os, reins – 15 à 17 heures – Onde ocre.

**CANCER :** méridien *Maître du cœur* – 19 à 21 heures – Onde bleu des mers du Sud.

**LION :** méridien *Triple réchauffeur* – 21 à 23 heures – Onde or.

**VIERGE :** méridien *Reins* – Hiver, Eau, froid – Cheveux, oreilles, os, reins – 17 à 19 heures – Onde vert foncé.

**BALANCE :** méridien *Gros intestin* – Automne, Métal, sécheresse – Poumons, poils, peau, nez – 5 à 7 heures – Onde rose.

**SCORPION :** méridien *Cœur* – Eté, Feu, chaleur – Langue, cœur, vaisseaux – 11 à 13 heures – Onde rouge grenat.

**SAGITTAIRE :** méridien *Vésicule biliaire* – Printemps, Bois, vent – Foie, œil, muscles – 23 heures à 1 heure – Onde améthyste.

**CAPRICORNE :** méridien *Rate-Pancréas* – Fin d'été, Terre, humidité – Bouche, tissu conjonctif, estomac – 9 à 11 heures – Onde noire.

**VERSEAU :** méridien *Estomac* – Fin d'été, Terre, humidité – Bouche, tissu conjonctif, estomac – 7 à 9 heures – Onde gris irisé.

**POISSONS :** méridien *Foie* – Printemps, Bois, vent – Foie, œil, muscles – 1 à 3 heures – Onde bleu foncé.

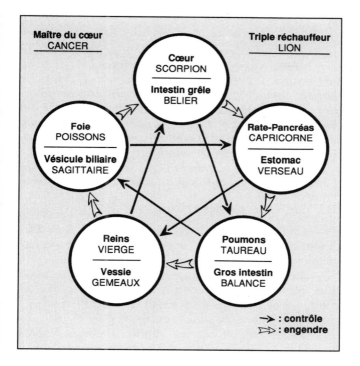

**Maître du cœur**
CANCER

**Triple réchauffeur**
LION

Cœur
SCORPION

Intestin grêle
BELIER

Foie
POISSONS

Vésicule biliaire
SAGITTAIRE

Rate-Pancréas
CAPRICORNE

Estomac
VERSEAU

Reins
VIERGE

Vessie
GEMEAUX

Poumons
TAUREAU

Gros intestin
BALANCE

→ : contrôle
⇨ : engendre

méridien sont la **surexcitation** et la **colère,** quand ce n'est pas la tristesse et les larmes pour un oui pour un non. Les regrets, les remords et les ressentiments n'ont rien à faire dans ce méridien qui a **besoin d'être dégagé d'émotions excessives** pour pouvoir jouer son rôle vital et vitalisant avec efficacité.

Cela nous renvoie à l'émotion du chakra cardiaque – analogique au signe du Bélier – émotion dont William Berton écrit (3) : « ... *Elle est la réponse à un événement qui vient d'avoir lieu et au cours duquel je me*

3. Voir, de William Berton : *La Vie énergie* (L'Age du Verseau).

*suis senti touché, concerné, ému. Je peux à tout moment la raisonner, donc la maîtriser, et en aucun cas je ne suis conduit à perdre ma lucidité. Si je suis fermé, je ne puis contacter cette sensation qui aura tendance, alors, à être refoulée, enfouie. La dominante de cet état est d'être ému, je l'exprime par des larmes. Aimer, c'est alors me donner la possibilité d'être touché émotionnellement et d'être aimé. Je peux recevoir en silence les larmes d'émotion de l'autre en acceptant d'être touché. C'est par là que descend en moi l'Unité. »*

### d) L'équilibre par les cristaux (4)

– *Couleur associée :* rouge rubis. D'après la Tradition, elle donnerait de l'énergie, régulariserait la circulation sanguine et la bonne santé mentale.

– **Jaspe rouge :** aiderait au bon fonctionnement du foie. Stimulerait les facultés olfactives. Protégerait contre les égarements mentaux et la « sorcellerie ».

– *Pierre porte-bonheur :* **rubis.**

– *Pierre rééquilibrante :* **saphir.** Toujours d'après la Tradition, favoriserait la méditation et la capacité à ralentir les pulsions premières excessives, renforcerait la foi, développerait les perceptions extrasensorielles et chasserait les illusions et les fixations mentales négatives.

### e) Vibrations du signe et prénoms associés

La vie est vibrations. Elle commence au-delà d'un seuil vibratoire au-dessous duquel la matière ne peut s'ordonner correctement en fonction d'une action précise. **Chaque prénom est porteur d'une vibration**

---

4. Voir, de Barbara Walker : *Cristaux. Mythes et réalités* (Editions Dangles ; épuisé) et de Laurence Pelegry : *La Voie du cristal* (l'Age du Verseau).

calculable et transposable en couleur (les sons et les couleurs étant les vibrations les plus rapides de l'univers, donc celles qui nous arrivent et nous traversent de la manière la plus rapide). Même inconsciemment, nous y réagissons affectivement. Nous dirons donc que chaque prénom porte avec lui un message vibratoire qui nous le fait **percevoir au niveau affectif** sans que notre intellect n'y puisse rien, ce qui explique que certains prénoms nous soient si chers et d'autres si immédiatement déplaisants.

Aimer le prénom de l'être chéri revient donc à aimer l'effet transmis par la vibration émise et, à l'inverse, pourrions-nous vraiment aimer une personne dont nous n'apprécions pas le prénom ? Cela explique aussi les inclinaisons que nous ressentons pour certains prénoms voulus pour nos enfants, ou choisis pour nous-mêmes lorsque nous nous sentons « *mal nommés* » à la naissance (5).

Nous comprenons ici que les prénoms véhiculent avec eux toute une série de qualités et de caractéristiques que l'astrologie a, par ailleurs, rangées en signes. D'après leur vitesse vibratoire et la couleur de leur vibration, voici les **prénoms qui véhiculent les caractéristiques du signe du Bélier,** avec leurs effets sur nos trois plans d'existence : corps, âme et esprit.

(ꞏꙨ)

⬦ **Prénoms émettant 114 000 vibrations/seconde :**
André, Albérie, Celse, Cyr, Cyrus, Donald, Druon, Théodore…

*Couleur :* rouge.

Type d'énergie produite : *corps :* colère ; *âme :* passion ; *esprit :* domination.

---

5. Voir, de Pierre Le Rouzic : *Un prénom pour la vie* (Albin Michel).

✧ **Prénoms émettant 73 000 vibrations/seconde :**

Bernard, Aleyde, Babylas, Bernardin, Boris, Emeric, Grégoire, Grégory, Horace, Josué, Kurt, Moïse, Quasimodo, Thibaut, Thiébaud, Vassili…

*Couleur :* violet.

Type d'énergie produite : *corps :* subconscient ; *âme :* inconscient ; *esprit :* conscient.

✧ **Prénoms émettant 72 000 vibrations/seconde :**

Christophe, Anaïs, Anicet, Apollinaire, Apollos, Casimir, Fortunat, Ghislain, Hervé, Nestor, Renan, Roman, Salomon, Sébastien, Xavier, Jacqueline, Mathilde, Bathylle, Clémence, Géraldine, Irma, Rosemonde…

*Couleur :* bleu.

Type d'énergie produite : *corps :* vitalité ; *âme :* amour pur ; *esprit :* spiritualité.

✧ **Prénoms émettant 94 000 vibrations/seconde :**

Etienne, Adelin, Annibal, Auguste, Césaré, César, Déodat, Erasme, Etienne, Flavien, Guérin, Jonas, Juste, Justin, Justinien, Léo, Léonide, Ludovic…

*Couleur :* vert (40 % bleu + 60 % jaune).

Type d'énergie produite : *corps :* mental ; *âme :* intuition ; *esprit :* imagination.

✧ **Prénoms émettant 114 000 vibrations/seconde :**

Georges, Arsène, Eloi, Fernand, Geoffrey, Geoffroy, Jean, Basile, Edgard, Gaël, Germain, Gino, Hector, Jehan, John, Johnny…

*Couleur :* jaune.

Type d'énergie produite : *corps :* volonté ; *âme :* rayonnement ; *esprit :* intelligence.

✧ **Prénoms émettant 86 000 vibrations/seconde :**

Jacques, Avit, Damien, Esteban, Fabrice, Gérôme, Gervais, Guénolé, Jacme, Jérôme, Malo, Primaël,

Reginald, Régis, Siméon, Werner, Yann, Yannick, Yoann…

*Couleur :* rouge.

Type d'énergie produite : *corps :* colère ; *âme :* passion ; *esprit :* domination.

✧ **Prénoms émettant 96 000 vibrations/seconde :**

Pierre, Bonaventure, Camille, Didier, Freddy, Frédéric, Frédérique, Irénée, Pablo, Peter, Pierrick, Raphaël…

*Couleur :* jaune.

Type d'énergie produite : *corps :* volonté ; *âme :* rayonnement ; *esprit :* intelligence.

## f) La glande miroir : le thymus (6)

Le thymus garde **la mémoire de la période intra-utérine ;** il est le dépôt de notre inconscient le plus archaïque. Cette mémoire raconte bien le fil d'Ariane qui relie chaque Bélier, malgré la violence de son désir de couper rapidement les liens primitifs à la mère, à son passé amniotique et le rend nostalgique – même par opposition – de cette quiétude à jamais disparue. Si la vie du Bélier est toute fureur et ruades, n'est-ce-pas quelque part par dépit de se sentir sans cesse obligé à renaître, regermer, refleurir ?

Le cerveau – inséparable du crâne auquel le Bélier est analogique – a bien d'ailleurs, comme le rein et la voûte plantaire, la forme d'un germe dont la base est l'ultime vertèbre, en réalité formée de trois vertèbres (occipitale, sphénoïdale et ethmoïdale), dont la triple fonction est de dessiner la courbure du visage humain (donner figure humaine), de renvoyer la face vers l'avant (projeter vers l'avenir) et de déterminer l'obli-

---

6. Voir, du docteur Oslow H. Wilson : *Les Glandes, miroir du Moi* (Editions Rosicruciennes).

gatoire verticalité de l'humain (se tenir droit, debout et autonome). En fait, la correspondance de cette glande au Bélier nous rappelle à quel point celui-ci doit « faire semblant » d'être grand tout de suite, et à quel point il lui est nécessaire de le devenir le plus vite possible, pour de vrai…

Mais, comme le met en lumière l'importance de l'émotivité et des larmes dans le signe, il s'agit, à ce stade du zodiaque, d'une naissance mentalisée, forcée, intellectualisée de soi-même. Pour naître véritablement et devenir ce que l'on est, **il faut d'abord en passer par l'émotif et l'accepter.**

Le thymus est en conséquence la glande qui se résorbe avec l'âge, au fur et à mesure que l'on progresse vers le stade adulte, abandonnant beaucoup des fonctions régulatrices qu'il jouait dans l'enfance – et notamment sa fonction de contrôle du taux de calcium dans le sang, taux responsable de la transmission des impulsions nerveuses, ce qui constitue un aspect délicat à surveiller chez le Bélier. Sur le plan organique, le thymus représente donc le centre des mécanismes d'autodéfense du corps, par sa veille sur la production et l'équilibre des lymphocytes (globules blancs). Les émotions négatives telles que la peur et la colère, si typiques du Bélier, en attaquent très sérieusement le bon fonctionnement.

Dans une lecture spirituelle du rôle et du fonctionnement de cette glande, il est important de reconnaître le thymus comme l'organe du « sens de soi du corps », celui qui crée la perception du moi ainsi que, par conséquence, celle du non-moi. Sur le plan cellulaire, les lymphocytes issus du thymus sont capables d'établir une distinction entre les cellules qui sont en harmonie avec le moi physique et celles qui ne le sont pas, ce qui crée leur fonction immunologique et agit dans la production d'anticorps ou de rejet d'organes transplantés.

De même que, pendant l'enfance, le thymus joue cette fonction cellulaire au niveau de notre corps physique, assurant sa survie dans l'environnement, à l'âge adulte, **il structure notre sens du Moi** en harmonisant et en coordonnant le développement de notre Moi psychique intérieur. C'est alors que, considérée sur ce plan spirituel, cette glande, à travers son évolution, nous rappelle qu'une fois passé le stade de la constitution physiologique, c'est par la **force de notre désir de métamorphose et de maîtrise personnelle** que se manifeste le nécessaire processus alchimique de notre évolution en individu adulte et conscient. L'être adulte n'est plus seulement un organisme physiologiquement régulé. Au contraire, *« l'homme est ce qu'il pense dans son cœur »*.

La nécessité d'évolution du Bélier est plusieurs fois mise en lumière à travers les analogies du signe avec le chakra du cœur, le méridien de l'Intestin grêle, la structure élémentaire du signe… Quelles que soient les civilisations et leur conceptualisation énergétique, la cohérence se fait à la faveur d'un message unique.

## 4. Conséquences symptomatologiques

On l'aura compris à travers ce qui précède : les Béliers, tout entiers préoccupés par leur action, vivent leur vie « bille en tête » tant ils se sentent compressés par l'urgence et la détermination qui, par ailleurs, leur plaisent et les stimulent. Mais cette façon de « bouillir » à l'intérieur et de ruer à l'extérieur est évidemment épuisante pour l'organisme et la santé mentale. D'autant plus que le Bélier, à l'instar des signes de

Feu (Lion, Sagittaire) a absolument horreur de la maladie dont l'idée même le rend… malade !

Résistants, vivaces et toniques, les signes de Feu ont du mal à intégrer la possibilité d'être freinés dans leurs initiatives et de voir leurs perspectives réduites, voire annulées. Ils retardent constamment le moment de se soigner et attendent vraiment d'avoir tous les symptômes de la gravité pour aller consulter, en traînant les pieds et en étant prêts à chaque instant à insulter le médecin dont ils ne reconnaissent pas l'autorité. Conséquence : il n'est pas facile de les soigner.

Au fond, ils ont tout intérêt – et le Bélier plus encore que les autres signes de Feu – à **prévenir plutôt que guérir,** et donc à prendre soin du « temple de l'âme » qu'est leur corps (quoique, dans le cas des signes de Feu, il s'agisse surtout de « temple du cœur »…). Cela s'apprend dès l'enfance, pendant laquelle les parents doivent sensibiliser leurs enfants au respect d'eux-mêmes et tenter à la fois de canaliser leur trop-plein énergétique dans des sports ou des activités de fond et les calmer et les tempérer pour éviter les crises… de larmes, de colère, de violence, de tristesse et autres émotions négatives propres au Bélier et si dangereuses pour lui.

Avec l'âge adulte, le Bélier apprend à mieux se contrôler, parfois trop même, ce qui ne fait qu'augmenter sa tendance au surmenage et aux tensions intérieures captatrices d'énergie vitale. Ne pas extérioriser ses violences le renvoie directement sur la fragilité de son foie, de ses reins et de sa tendance à la déminéralisation, notamment à la décalcification.

Migraines, maux de dents, estomac noué… le voilà bien patraque le Bélier, lorsqu'il ne fait pas l'effort de comprendre puis d'évacuer ses émotions et de régulariser ses désirs. Avec l'âge mûr, il acceptera mieux de consulter régulièrement son médecin traitant, de faire surveiller sa pression artérielle et d'éviter les troubles congestifs.

S'il n'aime pas se soigner, il a néanmoins l'avantage rare d'être rechargeable et rechargé assez rapidement, comme nous l'avons déjà expliqué. L'amour, le désir et l'excès le guettent, oui, mais c'est aussi comme cela qu'il se sent vivre pleinement. Nul autant que lui n'a les moyens d'appliquer le fameux slogan : « *La vie est trop courte pour vivre triste.* » Et qu'on se le dise : **l'enthousiasme le guérit de tout !**

### a) Points faibles du Bélier

– La **tête** en priorité, par analogie avec le signe. Il est intéressant de comprendre que – plus qu'avec la face – le Bélier est en analogie avec le haut du crâne qui est *la seule partie du corps que l'on ne peut jamais voir soi-même* et que l'on doit, par conséquent, toujours imaginer, ou s'en remettre à autrui pour nous en parler, tel le nourrisson s'en remettant totalement à sa mère… La force de mentalisation du Bélier doublée de sa dépendance affective et de la sursollicitation de son système nerveux sont à la source des maux de tête qui l'assaillent sous formes de migraines, de tensions, de tremblements divers, de colères, de mélancolies et de cyclothymie maniaco-dépressive caractérisée. Le **sommeil** est toujours à surveiller de près car il est agité, léger, court, irrégulier et n'apporte pas la récupération dont le Bélier a pourtant vitalement besoin.

– **Oreilles** et **vue** : bourdonnements, sifflements, tensions, ainsi que toutes les fragilités des sinus (fragiles et réactifs), et les troubles de la vision dus à la surtension du nerf optique et de la moyenne oreille (tympan).

– **Os** et **phanères :** liés à la mauvaise fixation de calcium/phosphore/manganèse qui le caractérise généralement, on retrouve communément des problèmes de cheveux trop fins et cassants, d'ongles qui « blanchissent », de dents aux mille problèmes répétés. On sera vigilant quant à la constitution osseuse et à la bonne formation de son squelette (fragilisé). Les activités violentes que le natif affectionne exposent, de plus, à des risques de fractures plus ou moins graves et plus ou moins répétées.

– **Problèmes digestifs :** le Bélier fait généralement peu de cas de sa façon de s'alimenter et du contenu de son assiette, mangeant trop puis trop peu, et ayant une sorte de tendance instinctive à ingurgiter des aliments « dopants » pour tenter de pallier sa fatigabilité chronique. Il mange trop de viande rouge, des plats plutôt salés et gras, adore la charcuterie forte, les épices, les piments et un type d'aliments très nettement acides sans compter les alcools secs qui l'attirent toujours irrésistiblement et que sa proximité avec le Poissons transforme facilement en alcoolisme plus ou moins déclaré… Tout cela, aggravé par une nette tendance à avaler trop vite et sans mâcher, le conduit à souffrir de divers troubles digestifs, allant de l'indigestion à la diarrhée en passant par la spasmophilie que sa fragilité nerveuse rend chronique, surtout chez les femmes du signe.

– **Circulation sanguine :** attention à cet aspectlà ! Son alimentation irrégulière, sa nervosité de fond, sa tendance à brûler toutes ses réserves et sa fragilité cardiaque provoquent, à terme, des problèmes de circulation sanguine, avec un sang trop riche ou trop fluide, une nette tendance à l'anémie, aux maladies cardio-vasculaires, à la tension artérielle (à surveiller très tôt) et au cholestérol. Cela devient vite un cercle vicieux : la mauvaise qualité du sang ainsi que les problèmes circulatoires, provoquant la fatigue, augmenteraient à leur tour les tendances à une mauvaise alimentation qui fatigue le cœur, etc.

– **Problèmes ostéo-musculaires :** dès 35-40 ans, la fragilité des ligaments et des artères se manifeste et peut conduire à l'artériosclérose, aux rhumatismes, à la lithiase, favorisant l'apparition de varices, de veinosités, de jambes lourdes, gonflées ou des extrémités (doigts, pieds, nez, fesses…) toujours froides. L'alimentation, nettement acide et surchargée, est à l'origine de ces problèmes directement liés à la mauvaise circulation sanguine.

– **Problèmes de peau :** bien sûr, tout ce qui a été dit précédemment ne peut générer une belle qualité de peau. Celle-ci – représentant un terrain idéal pour l'expression à la fois de l'hypersensibilité affective et de la tension nerveuse chronique – pose toujours des problèmes de sécheresse, gratte, tiraille, pique, blanchit en hiver pour rougir en été et n'a plus aucune souplesse. De plus, les Béliers présentent un terrain très nettement allergique.

A cela peuvent s'ajouter les problèmes du signe d'en face : la Balance, avec ses fragilités de la vessie, du système urinaire en général et ses troubles rénaux dès la quarantaine.

◖◗◖◗◗

De plus, on considérera – et cela est vrai pour tous les signes – les Béliers **en excès d'énergie** qui ont toujours un surplus à dépenser et qui sont caractérisés par leur phénoménale capacité de récupération et par le fait de se recharger dans l'action sportive et la dépense nerveuse, et les Béliers **en insuffisance d'énergie** qui présentent les mêmes caractéristiques

mais sont toujours épuisés et vivent dans une nervosité dangereuse pour eux-mêmes et désagréable pour
leur entourage. Dans un thème astral complet, cela se
détermine facilement en regardant si le Soleil est plutôt bien soutenu et dynamisé par d'autres planètes, ou
s'il est au contraire « attaqué » dans sa cohérence et
ne peut alors jouer son rôle énergétisant.

### b) Conseils pour un meilleur équilibre

Le mot clé de la santé du Bélier est : **régulariser.**
En effet, dans les deux cas de Béliers il s'agit de limiter les possibles dégâts en régularisant certaines tendances alimentaires instinctives, notamment le goût
pour les acides, les viandes rouges et les aliments à
combustion trop rapide. Le Bélier devrait freiner ses
premiers élans en matière de gestion de sa santé, c'est-
à-dire accepter de consulter un médecin, ne pas systématiquement dire « qu'il n'a rien » et ne plus attendre
de ne plus dormir la nuit pour appeler les urgences
dentaires… **L'urgence générale à laquelle il soumet
son corps** réduit ses réserves minérales et il doit
impérativement trouver le moyen de veiller à prendre
des compléments alimentaires et suivre un pro-
gramme de reminéralisation individualisé et quasi-
ment constant.

D'autre part, il est très sensible aux variations sai-
sonnières et surtout aux deux équinoxes d'automne et
de printemps ; il devrait faire réharmoniser ses énergies à ces deux périodes clefs. Enfin, sa bonne santé
mentale et affective lui tient lieu de baromètre hyper-
sensible, d'autant plus qu'il affirme le contraire.

✿❀✿

*N. B. :* nous ne pouvons donner, ici, que des conseils
généraux, difficiles à individualiser avec plus de précision tant que l'on s'en tient au seul signe solaire.

Seule une consultation astrologique globale, **tenant compte du thème complet,** peut apporter plus de précision sur les dynamiques de fonctionnement particulières, sur les circulations énergétiques – équilibrées ou perturbées – de chacun.

D'autre part, un traitement personnalisé requiert la compétence et la prescription d'un médecin – généraliste, spécialiste ou pratiquant les médecines douces – qui tienne compte d'une juste combinaison de la médecine allopathique, des médecines alternatives et des thérapies énergétiques. L'astrologie représente un outil complémentaire d'étude d'un terrain, pour *confirmer ou infirmer un diagnostic,* mais elle ne peut en aucun cas se substituer au thérapeute compétent. En ce sens, nous vous laissons bien entendu le libre choix de votre médecin qui, seul, pourra vous orienter vers des traitements et des soins adaptés.

Deux béliers (musée du Louvre).

Traité d'astrologie de Mohammed ibn Hasan el-Saoudi.
(Manuscrit turc, 1582 ; Bibliothèque nationale, Paris.)

# V

# Amours et amitiés

## 1. Faire la guerre pour se réconcilier

Toute la vie du Bélier, conformément à l'axe Bélier-Balance auquel il appartient (voir « Introduction »), est centrée autour d'une préoccupation vitale : la relation humaine, ses formes, ses portées et ses manifestations. Tel qu'il est, le Bélier répond instinctivement en se positionnant dans **un face à face délibéré à l'autre,** faisant la guerre comme il fait l'amour et se donnant cœur et âme dans l'un comme dans l'autre cas. Il s'agit, pour lui, de se spécifier et donc d'affirmer son existence, sans pour cela prendre véritablement des gants.

**Les rapports mielleux ou mesurés ne font pas partie de sa panoplie habituelle** qui serait plutôt celle du « feeling » immédiat et de l'adhésion spontanée et exclusive ou du rejet le plus total. Dès l'enfance, les Béliers marchent au coup de cœur et leurs parents ont tôt fait de s'apercevoir qu'ils aiment certaines personnes comme ils en détestent d'autres, instinctivement et sans retour possible, ce qui n'est pas toujours simple à vivre, mais qui se comprend au regard de l'authenticité et de la spontanéité de l'enfant.

Cela dit, s'ils aiment, **les Béliers aiment totalement** et sans chercher à analyser ou à justifier leur engouement. Ils se comportent alors de façon communément naïve, toujours prêts à soutenir les personnes aimées, simplement parce qu'ils se sentent engagés ou que la personne « a besoin d'eux ». Du moins ont-ils besoin de se l'assurer pour remplir leur rôle de Bayard et de justicier. En amitié, ils vendraient leur chemise pour leurs copains.

En matière amoureuse, ils conquièrent **sur un mode agressif** et opiniâtre et ne démordent pas de leurs hallucinations sentimentales, risquant de se faire rejeter, d'être malheureux mais aussi, tout de même, de vivre une exceptionnelle histoire d'amour sur le mode le plus « pétaradant » qui soit… au moins au début. **La passion les motive** toute leur vie durant, aussi forte et merveilleuse que le sont leurs déceptions – si elles ont lieu et lorsqu'elles ont lieu.

On peut ainsi compter sur eux, rire avec eux, créer des entreprises et avoir de grands projets avec eux, partir au bout du monde en un quart d'heure, vivre les choses les plus excessives et révolutionner le monde de façon active. Ils croient en ce qu'ils font et ont une « pêche » capable d'entraîner les plus paresseux. Mais si un grain de sable devait venir faire grincer la machine, ne leur en veuillez pas s'ils sont irrémédiablement déçus et ne vous adressent plus aucun regard, allant panser leurs peines ailleurs jusqu'à ce qu'ils retrouvent une autre motivation… tenace et merveilleuse.

Conformément à leur axe d'appartenance, ils s'affirment toujours dans le face à face et la mise en opposition, mais **leur seul but demeure le cœur à cœur et le côte à côte, le mariage et le partage.** Ils œuvrent à leur façon vers ce but-là, car ils ne se sentent jamais bien seuls. Finalement, leur vie se déroule sur le mode martien, sinon martial : ils vont de ruptures en réconciliations, d'enthousiasmes en déceptions, de violences en apaisements, de relations nouées en relations dis-

Mars par Vénus désarmé… Alangui sous l'effet de la sensualité de son amante préférée, Mars abandonne casque et attributs guerriers. Telle est la vision du célèbre couple par Botticelli (xvᵉ siècle, National Gallery, Londres).

tendues puis reprises. Ils suivent leur cœur et le désir de l'instant, et cela reste à leur avantage même si leurs méandres et leurs coups de cœur sont un peu fatigants et durs à suivre…

## 2. Les relations avec les autres signes

### Bélier/Bélier

C'est le tourbillon, Trafalgar, la rencontre entre la flamme et le chalumeau ! Entre eux rien ne traîne et tout se précipite. Leur quotidien est fait de passions dynamiques, d'élans impulsifs, d'idées qui émergent au rythme d'une formule 1 et qui sont souvent suivies d'enthousiasmes et d'engouements. Les rencontres sont multiples et les nuits sont chaudes, l'activité pareille à un geyser qui féconde et stimule l'entourage tout entier. Ils s'émerveillent l'un l'autre, se lancent des défis, sont toujours d'accord pour refaire le monde et vivre sur les chapeaux de roue.

Finalement, ils sont pris dans l'obligation de surenchérir constamment et de trouver chaque jour quelque chose d'exceptionnel qui illumine le triste quotidien qui leur pèse. Des problèmes de pouvoir peuvent se poser, car la question de savoir qui conduit et dirige l'autre se pose en permanence. Attention, finalement, à tous ces tumultes : même les piles s'usent !...

## Bélier/Taureau

Leur rapport est très complémentaire, nourri par les idées audacieuses du Bélier, concrétisé et solidifié par la stabilité et le sens de réalisation – mais aussi de long terme – du Taureau. Cela, à condition d'avoir des projets communs, une action à mener à son terme, une idée à laquelle donner forme pour leur bien mutuel mais aussi pour le bien du plus grand nombre qui les entoure. Il est important que chacun accepte de rester dans son rôle et se tienne à sa place. Sinon, au vu de leurs forces de caractère respectives, ils peuvent passer leur temps à se disputer, à se contredire et à s'imposer l'un à l'autre.

Le Bélier en fait trop, bousculant le calme Taureau jusqu'à s'imposer à lui, chose inadmissible pour ce dernier qui se cabre, boude lorsqu'il ne se met pas carrément en colère... A condition de respecter leurs (grandes) différences respectives, ils sont véritablement de très bons amis et d'efficaces partenaires. Et puis, ils ont une certaine idée – commune – du sens à donner à leurs sens...

## Bélier/Gémeaux

Pour les contacts, les sorties, les jeux et les rires, ils s'entendent comme larrons en foire ! Ils vivent à cent à l'heure, profitent de toutes les possibilités d'échapper à la routine du quotidien et d'épater la galerie. Ils sont, il est vrai, séduisants, dynamiques, magnétiques, pleins d'humour… et cela les rapproche. Du moins au début, car le Gémeaux souffre d'une peur chronique et panique de l'engagement, alors que le Bélier en a profondément besoin. Cela crée comme une incertitude, comme un quiproquo affectif qui s'installe et ronge la relation de l'intérieur.

Le Bélier peut être atteint dans son idée de l'authenticité et sa vision carrée et entière des êtres et du monde. Le Gémeaux vogue mieux, mais doit éviter d'asséner des paroles cyniques au Bélier qui ne sait pas les détourner. Au fond, la relation si légère et si enthousiasmante pourrait grincer sur le fond, et il vaut mieux l'envisager sur un plan amical que sur un plan amoureux plus profond.

### Bélier/Cancer

Logiquement, ils devraient se fuir au premier regard, mais ce n'est pas une relation très logique. Ce serait plutôt une relation sensitive et émotive, avec une force d'attraction qui unit les partenaires. L'énergie du Bélier ramène le Cancer sur la terre ferme, parfois même trop brutalement. Le Cancer paraît magique et onirique au Bélier qui le prend vite pour sa part de rêve, frêle et inaccessible. Au mieux, ils arrivent à s'émerveiller et à se rééquilibrer l'un l'autre, ce qui n'est déjà pas si mal.

Si la femme est Cancer, c'est mieux : cela donnera à l'homme Bélier l'occasion d'incarner Bayard même si, en matière de protection, le Bélier risque de découvrir que la force d'inertie et d'autoprotection du Cancer est plus solide et plus imperméable que la sienne – trop extérieure et trop activiste. Pour des raisons d'ordre subtil qui échappent au Bélier, mais qui lui font « mal à la tête », leurs jeux peuvent se limiter à la couche superficielle : en fait, ils ne partageront jamais la même conception du cœur.

## Bélier/Lion

De toutes les façons, il ne se résistent pas et mêlent bien leurs feux pour briller ensemble. Ils sont à la fois magnanimes, généreux et dynamiques tous les deux. Ensemble, ils peuvent accomplir bien des miracles, dans le domaine du visible tout au moins... Mais justement, comment se fait la complémentarité ? Qui protège qui, qui gouverne qui, qui fait briller l'autre ? Questions essentielles qui se posent constamment et qui peuvent laminer l'entente.

Cela donne une belle relation sensuelle et sociale qui en souffle plus d'un autour d'eux... et finalement eux-mêmes à la longue lorsqu'il s'agit, loin des regards et de la vie extérieure, de retrouver le goût de l'intimité et de l'ineffable, domaines essentiels souvent absents de leurs registres.

## Bélier/Vierge

Un Bélier ne peut même pas imaginer qu'une Vierge puisse exister. Il n'a vraiment jamais le temps de comprendre les simagrées et les hésitations dont les natifs Vierge font montre ; quant à leur autoprotectionnisme et à leur retenue, ils l'exaspèrent définitivement ! Les natifs Vierge, quant à eux, supportent mal les violences et les débordements des Béliers et passent beaucoup – trop – de temps à les critiquer et à essayer de les « remettre dans le rang ». Bref, ils communiquent peu ou mal.

On ne dirait même pas qu'ils s'apprennent mutuellement des choses puisqu'ils n'ont aucune tolérance réciproque. A moins que, par miracle, ou avec beaucoup de philosophie – et d'amour – ils n'arrivent à compenser leurs failles et à s'équilibrer, le Bélier amenant désir et idées, et la Vierge maîtrise et gestion. Mais enfin, il faut bien se rendre à l'évidence : la rencontre est à créer de toutes pièces et ne se fait pas naturellement puisqu'ils ne vivent pas dans le même monde.

### Bélier/Balance

*« Décris-moi ton ombre et je te dirais qui tu es »*, voilà toute la fantastique relation que ces deux-là entretiennent. Le Bélier oppose, coupe et s'affirme dans le face à face. La Balance ne jure que par la conciliation, le cœur à cœur et le côte à côte. Mais le Bélier ne cherche qu'à s'unir tandis que la Balance poursuit farouchement son autonomie.

Finalement, ils sont pareils et habitent le même univers mais, comme tous les gens trop identiques, la relation se vit parfois dans l'idylle et parfois dans la discorde la plus totale. Toujours plus simple lorsque l'homme est Balance et la femme Bélier, car alors chacun donne au mieux le meilleur de lui-même pour créer l'équilibre parfait. Et puis, ils sont tellement séduisants !…

### Bélier/Scorpion

Le Bélier fonctionne dans le registre de la passion active et immédiate, le Scorpion dans celui de la passion souterraine mais de – très – long terme. A eux deux, ils courent de gros risques de se faire – très – mal… mais aussi de se révéler mutuellement. Disons surtout que c'est le Bélier qui a « mal à la tête », n'ayant pas la force cérébrale de faire face à tant de méandres que sa tendance immédiate le porterait à attaquer de front alors que la tactique inverse s'imposerait.

Sur le plan sexuel, la rencontre est généralement très forte, même si, là encore, le Bélier la vit comme sur un ring alors que le Scorpion aborde le sujet comme une cérémonie initiatique. Sur le plan social, ils sont de redoutables partenaires ou de farouches adversaires, mais risquent toujours, à un moment donné, de pencher vers leurs versants destructeurs... et autodestructeurs. On souhaitera un peu de légèreté et de spiritualité dans leur histoire.

## Bélier/Sagittaire

Sans doute l'une des meilleures relations, très claire, très constructive, dynamisante pour le Sagittaire qui évite là son côté pantouflard, structurante pour le Bélier qui apprend à mieux canaliser et concrétiser ses élans. Ils s'adorent d'ailleurs, et la gaieté est certainement chez eux. Le Bélier a besoin d'admirer le Sagittaire et fait tout pour que celui-ci reste sur son piédestal, ce qui convient bien au Sagittaire qui, de son côté, sait bien protéger et diriger le Bélier.

Quelques problèmes de pouvoir peuvent cependant apparaître, sinon quelques emportements verbaux, leurs talons d'Achille mutuels étant la représentation excessive et surtout la naïveté foncière qui les fragilise.

## Bélier/Capricorne

Comment dire pour faire comprendre à quel point ils n'ont rien de commun et se regardent en parfaits chiens de faïence ? Le Bélier voudrait attaquer le

Capricorne de front pour l'obliger à craquer et lui prouver que le désir ne vaut rien à être retenu (le pauvre, qui n'a jamais peur de l'inutile !). Le Capricorne voudrait bien faire admettre au Bélier que la lenteur, la réflexion et la persévérance ont du bon et que le désir vaut surtout s'il est canalisé (le pauvre, qui n'a pas peur de prêcher dans le désert !).

Au fond, ils peuvent faire d'excellents partenaires en conseil d'entreprise, mais de là à communiquer au quotidien… Finalement, c'est une relation qui a besoin de mûrir car, avec l'âge et le recul, elle peut devenir intéressante et complémentaire à divers niveaux, une fois les excès de la jeunesse dépassés.

### Bélier/Verseau

Union très libre, « libéralissime », révolutionnaire, rieuse et co-stimulante, dirons-nous. Ils courent ensemble toutes les soirées de la ville, puis ils courent ensemble tous les coins du globe avant de courir ensemble dans la campagne ou sur les courts de tennis. Comme deux piles qui se rencontrent, ils se racontent des histoires de survoltage ! Le dynamisme de l'un rassure toutes les actions de l'autre, tant que le Verseau ne se met pas à foncer droit sur les étoiles alors que le Bélier continue à foncer droit devant lui. La trajectoire n'est pas la même sans doute, parce que les objectifs vitaux de base sont très différents.

Le Bélier court toujours au nom de ses emportements affectifs et physiques, le Verseau est propulsé par son mental et sa face éthérique, désaffectée et rationaliste. Sur le plan du cœur, c'est le dialogue de sourds, sans parler du plan sensuel… Mais il n'empêche qu'ils restent de fiers potes… et c'est tout !

## Bélier/Poissons

Voilà les « absolus antinomiques », l'un à l'autre vitalement nécessaires. Le Bélier parie entièrement sur l'efficacité de son action, puisqu'« il n'arrive que ce qu'on crée ». Le Poissons parie entièrement sur son « à-quoi-bonisme », chaque chose arrivant en son temps sans qu'on ait besoin d'intervenir. Pour ces raisons, nul autant que le Poissons n'a besoin de l'activisme engagé du Bélier, et nul autant que le Bélier n'a besoin du détachement et du lâcher prise intuitif du Poissons.

Quelque chose de fascinant, d'originel, les lie l'un à l'autre, l'un dans l'autre. Mais, malgré sa soi-disant nonchalance et son petit air de se laisser faire, le Poissons reste intact et continue de voguer entre ses eaux intérieures sans jamais vraiment s'engager sur le terrain ferme du Bélier. Et celui-ci finit par en avoir assez de courir après. Un comble !...

*L'Horloge cosmique* de Warren Kenton.
Sur cette représentation sont concentrés tous les principes cycliques et symboliques de l'astrologie.

(Extrait de *l'Astrologie,* Le Seuil.)

# VI

# Vie professionnelle et sociale

## 1. Intelligence, flamme et autorité

La vie socioprofessionnelle type du Bélier s'exprime à travers son esprit aigu, rapide et impulsif, étayé d'une belle aptitude pour la répartie et le débat (houleux) d'idées, la riposte immédiate et la capacité à trancher dans les tergiversations ou les hésitations diverses de l'entourage. Il a souvent la possibilité de mettre les rieurs de son côté et une flamme habile à soutenir tout paradoxe, des convictions arrêtées, un coup d'œil immédiat, une opinion forgée dans l'instant qui lui suffit à partir au quart de tour pour initier un projet puis s'en faire le pionnier et le défenseur.

L'indépendance d'esprit reste toujours entière ou, du moins, toujours très vite récupérée ; il n'y a aucune chance de l'impressionner à long terme, car il aimera s'opposer par la répartie – même s'il trouve de la justesse dans les propos de l'adversaire – histoire de prouver qu'il existe et pense, selon son tempérament habituel.

Sa vivacité d'esprit est ainsi conquérante, avec une extraversion tout à fait affirmée qui fuse en envolées parfois impressionnantes. Cela lui donne la capacité innée à entraîner autrui et à se faire leader. Rien à faire, les Béliers – masculins ou féminins – sont des chefs de clan nés !

De tête de classe à l'école, ils suivent le chemin du chef d'entreprise à condition, toutefois, d'obéir à leur nécessité foncière d'avoir un groupe dans lequel s'intégrer pour en devenir le meneur. Mais il n'est de personne plus engagée dans le groupe que celle qui en est la tête : à elle le défrichage de terrain et les initiatives, à elle les lueurs de ce que sera demain, à condition que suivent les troupes et l'intendance. Une fois la voie tracée, le Bélier se désintéresse souvent des résultats et refuse de considérer les conséquences, fussent-elles positives ou négatives. Tel le petit cheval blanc – tous derrière et lui devant – il brave la tempête mais il la subit rarement longtemps en solidarité totale avec les autres. Souvent, un autre ouragan le happe et il s'en va au cœur du cyclone... car d'autres domaines, d'autres projets ou d'autres initiatives requièrent son énergie et sa **force d'engendrement.**

L'aspect matériel des résultats, les acquis et les gestions de long terme lui passent carrément au-dessus de la tête : au mieux, il délègue cet aspect des choses lorsqu'il ne suit pas carrément la politique du « panier percé ». Sur le plan financier, le Bélier pense toujours, qu'à l'instar de son énergie vitale, « il se refera » sans dommages... Et c'est souvent le cas !

Bien des domaines peuvent alors lui convenir, qui mettront toujours en avant son **talent d'initiateur** et de **chef,** sa **force de décision** et son **esprit tranchant.** On le reconnaîtra surtout dans sa façon d'être, plus que dans les domaines socioprofessionnels qui lui seront attribués. Le Bélier suit son illumination... et après lui le déluge ! Aux autres de jouer ! Parfois, même ceux qui l'ont suivi des années durant sont bien désabusés de voir qu'il a vraiment tourné la page et avec quelle capacité il est passé à autre chose, oubliant presque l'énergie phénoménale qu'il avait mise dans

Initiative, force de caractère et enthousiasme… *le Bateleur* du tarot de Marseille est analogique au Bélier.

LE · BATELEUR

ces amours d'antan. Ce n'est pas de sa part abandon ou mépris, mais bien l'expression de sa force de renouvellement et de son indépendance.

Le Bélier n'est pas homme de mission unique et exclusive, ou plutôt il l'est à chaque fois ! En chef des armées, au mieux il pousse ses troupes jusqu'au moment où il est sûr que la victoire ne peut plus leur échapper. Au pire, il les laisse en déroute. Le reste, après tout, n'appartient qu'à Dieu… Il lui importe donc de réussir vite et les domaines économiques trop étirés en longueur, les travaux sur des années ou les réussites à très long terme le découragent plus qu'ils ne le stimulent.

Le Bélier a besoin de voir les choses bouger assez vite et de sentir arriver les prémices de la victoire au moment où il en a besoin. L'échec lui est insupportable parce qu'il ne sait pas bien le gérer ni en tirer l'enseignement ; on lui recommandera donc les domaines professionnels et les postes de responsabilités dans lesquels il saura jouir vite de ses investissements.

Les martiens types, avec un Mars dominant dans le thème, font d'ailleurs souvent des personnages dont la réussite professionnelle d'une part se fait à un jeune âge, mais, d'autre part, connaît un cheminement en dents de scie, avec faillites et redémarrages spectaculaires. Bref, si la guerre d'assaut canalise toutes ses forces et le conduit à la victoire, le Bélier n'est certes pas bon dans les guerres d'usure qui risquent bien de le limer jusqu'à l'os !

## 2. Les métiers du Bélier

Le signe est en analogie avec quelques grandes options :

– **La défense :** défense du citoyen en intégrant la police nationale, ce qui lui permet de développer son sens de l'équité et de la sauvegarde de ses valeurs ainsi que son goût de justicier des opprimés ; l'armée, à tous les niveaux, mais on peut penser qu'avec l'âge le Bélier engagé dans l'armée fera tout pour se retrouver en tête.

– **La chirurgie :** caricaturale des valeurs martiennes, la chirurgie lui convient sans doute le mieux parmi toutes les professions médicales, en particulier la chirurgie spécialisée de la face, du crâne, la chirurgie osseuse, cardiaque…

– **La dentisterie :** combien de dentistes parmi les Béliers toujours tellement sensibles des dents, ce qui est expliqué par leurs problèmes de calcification et leur nervosité foncière qui les fait « grincer des dents » et « claquer des gencives »…

– **Le fer :** tous les métiers liés au travail du fer (tôlerie, carrosserie, fraisage, chaudronnerie, soudure, mécanique en général), mais aussi – à un stade plus sublimé – la sculpture du fer et l'utilisation du feu dans la transformation artistique.

– La **justice :** ne sont pas rares les avocats et les législateurs, mais plus rarement les juges d'Etat qui sont trop dans la représentativité sociale qui sied peu au Bélier à terme. On peut aussi y trouver des éducateurs, des professionnels de la réinsertion qui comprennent intimement la délinquance et l'aspect « sombre » de l'individu et de la société.

– Le **sport** et les activités physiques et sportives à un niveau professionnel. On trouve, parmi les Béliers, coureurs automobiles, cascadeurs, gymnastes, coureurs, skieurs… tous les métiers où leurs grandes qualités physiques et leur résistance foncière excellent. En général, tous les **métiers à risques** les attirent et ils y évoluent bien. On les verra prendre des sponsors pour le Paris-Dakar, le raid Gauloises, la Route du Rhum ou la face Nord de l'Anapurna, mais il est à parier qu'ils aimeront mieux les volcans… pas éteints !

– La **modernité :** particulièrement à l'aise dans tous les métiers modernes, comme son pote le Verseau, c'est-à-dire dans les nouvelles technologies, les nouvelles communications, l'électronique, l'informatique de la cinquième génération, etc.

On se souviendra avantageusement que les métiers de l'ombre, les professions sédentaires et sans possibilités d'évolution ou sans perspectives de contacts extérieurs ne leur conviennent pas du tout. Une fois intégré ce principe, toutes les professions où leur fougue et leur sens créatif peuvent être canalisés et développés leur vont bien.

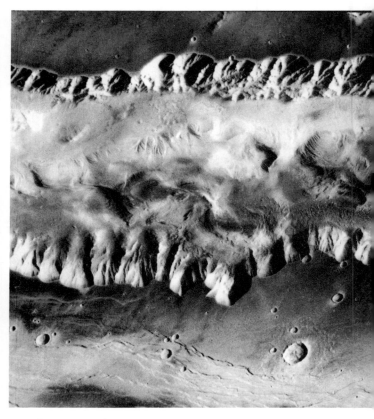

**Mars,** quatrième planète de notre système solaire, d'un dia-
mètre de 6 800 km (celui de notre Terre est de 12 757 km).
Elle maintient en orbite deux satellites : Phobos et Deimos.
On voit ici une vue des protubérances de la vallée de
Mavinevis.

(© U.S.G.S. / photo Ciel et Espace, Paris.)

# VII

# L'enfant Bélier

## 1. Famille chérie, famille haïe

Le tempérament martien du petit Bélier ne tarde jamais à s'exprimer. En effet, il pique sa première colère très tôt, et les mamans sont toujours étonnées de voir comment une aussi petite boule de chair d'à peine quelques semaines peut devenir rouge pétard, crier aussi fort et gesticuler avec autant de conviction ! On est souvent loin du bébé placide qui dort, tète, puis redort à longueur de temps : **les petits Béliers ont tôt fait d'affirmer leur présence** et manifestent leur désir de participer à leur environnement avec précocité et conviction. Ne croyez pas que ce soit un hasard : en fait, la nature de ces natifs leur fait **mal supporter l'état de dépendance** absolue, et on les voit se calmer progressivement et faire des progrès rapides au fur et à mesure qu'ils grandissent en âge et existent de plus en plus au sein de la cellule familiale.

L'autonomie qu'ils désirent peut les mettre debout très vite, et le signe « produit » un bon nombre d'**enfants précoces,** désireux de vivre, de parler, de casser, de toucher, de s'opposer, curieux à en rabattre les oreilles des parents qui ne trouvent plus de mots pour répondre à toutes les questions, d'autant plus que l'intelligence de leur garnement se développe au rythme d'un circuit électronique, les questions s'enchaînant dès qu'une réponse est donnée, et que leur champ de curiosité reste très étendu. Calmes, les petits Béliers s'ennuient à mourir, mais jamais longtemps : une idée les effleure et, hop ! ils repartent pour un tour ! Sans exagération, on affirmera qu'**ils sont souvent fatigants pour les parents,** surtout pour la maman qui reste le centre de leurs préoccupations mais à laquelle, traditionnellement, ils montrent leur amour et leur attachement avec une totale agressivité. On recommandera d'ailleurs à toutes les mamans de Bélier de prendre leur calme et leur courage à deux mains, car leur « enfant-pile-électrique » a d'autant plus besoin de leur quiétude que l'agressivité et la colère ne produisent en général chez eux qu'un désir de surenchère finalement néfaste pour tout le monde.

L'autorité les stimule aussi… mais *par réaction.* Obéir n'est vraiment pas leur problème. Au contraire, ils se ressourcent dans la bagarre et ont vite fait de prendre les discussions parentales pour un véritable jeu qui, loin de leur faire peur et de les inciter à obéir, les conduit encore plus à rouspéter et à contrer la discipline qu'on cherche à leur imposer. Ainsi ont-ils besoin de se spécifier au sein de la famille dont ils ont besoin mais qu'ils critiquent souvent beaucoup, y compris dans l'âge adulte. Famille chérie, famille haïe, leur rapport à elle est teinté – comme le reste de leurs relations – par la passion rouge sang…

Ils n'avoueront jamais avoir besoin de protection, mais sont bien contents de trouver le calme qu'on leur apporte, à condition de savoir qu'ils peuvent y renoncer et envoyer promener tout le monde dès que leur désir d'indépendance les reprend. C'est que, comprenez-vous, ils ont un rôle à jouer à l'extérieur : le monde à besoin d'eux et il n'est donc pas question de les cocooner trop longtemps dans la tiédeur du giron familial. **Ils ont besoin de voir ce qui se passe dehors** et relèguent le foyer – et surtout la mère – dans son rôle de refuge, de port d'attache, sinon d'imperturbable et forte Pénélope ! Pour cette raison, les enfants Béliers sont parmi ceux qui « sautent » des classes, demandent à s'inscrire à mille activités extérieures et quittent leur famille le plus tôt possible. Dès qu'ils peuvent décider pour eux-mêmes, créer leur cercle de fréquentations, accomplir leurs envies, leurs rapports avec leur famille s'équilibrent.

## 2. Une volonté de fer sur un cœur d'artichaut

Si vous voulez vraiment faire pleurer un enfant Bélier – même si je ne pense pas que ce soit le cas ! – racontez-lui un univers uniforme où tout le monde a la même vie, où chacun se ressemble, où n'existent ni bons ni méchants, ni justes causes ni ignominies. Sa raison même d'exister disparaît alors dans une telle description comme si, d'un coup, dans un monde où il est nécessaire que les Petits Poucets remportent sur les Géants, c'était le Géant qui dévorait Petit Poucet... Tout cela pour dire que si vous sollicitez votre petit Bélier sur le plan du cœur, vous le trouverez toujours au rendez-vous. Il marche à ça pour se construire – comme parfois aussi pour se faire du mal lorsque cette sentimentalité lui fait un croche-pied – parce qu'il a tendance à s'engager dans les relations amicales et les copinages sans réfléchir à ce que cela lui apporte parfois comme déboires, auquel cas il est bien content de retrouver ses parents.

Ses parents, le petit Bélier a justement besoin de les admirer et d'en avoir une opinion parfaite. Dans son monde manichéen, fait de bons et de méchants, il a impérativement besoin de situer ses parents parmi les « parfaits » et ne souffre pas de voir leur image ternie. Sa mère est la meilleure des mamans, son père est un héros, rien de moins ! Malheur à ceux qui chutent de leur piédestal… La bonne éducation consiste alors, pour aider les petits Béliers – tellement doués, tellement curieux et téméraires – à bien profiter de leurs atouts et à mener leurs actions à terme, à jouer sur la mesure entre deux attitudes extrêmes : le laxisme total qui les déstructure et les angoisse, et l'autoritarisme qui développe à l'excès leur désir de se cabrer, pouvant aller jusqu'à provoquer chez eux une fermeture morbide – qui est un état d'attente du moment où ils fuiront définitivement le foyer. Patience, force tranquille et tendresse représentent la bonne méthode ainsi que la responsabilisation, car on a toujours intérêt à faire appel au sens de la responsabilité d'un Bélier qui trouve ainsi matière à se structurer.

Les engager dans une activité où ils pourront développer leurs capacités créatrices et tenir un rôle de tête, se dépenser et trouver un sens concret à leur énergie, leur est parfaitement vital et profitable. Dans le cas contraire, ils pourront errer entre des relations commencées puis abandonnées et développer le goût de détruire et de déstructurer leur vie et leurs engagements à tout prix, ce qui risque d'être très préjudiciable pour leur future intégration sociale. Amoureux et défenseur de la Loi, le Bélier, s'il ne trouve à s'y intégrer, devient aussitôt hors-la-loi, qu'on se le dise !

## 3. Les principes de sa santé

Le petit Bélier typique (fille ou garçon) a besoin de se dépenser au maximum puis de s'endormir – parfois à même le tapis où il joue – pour récupérer afin de repartir. Il ne se rend pas compte de son épuisement et, lorsqu'il est fatigué, il puise dans sa nervosité pour « tenir » et continuer. Finalement, sa résistance est phénoménale, surtout sur le plan nerveux et musculaire dont il use et abuse. En tenant compte des principes généraux décrits au chapitre IV de cet ouvrage, vous l'aiderez à mieux réguler son énergie et à rétablir son équilibre minéral. Sinon, il est surtout important de redonner aux enfants Béliers une bonne conscience de leur corps et de leur apprendre à s'en occuper et à le respecter. Plus tôt ils apprennent que **le corps n'est pas qu'une machine à performances musculaires** et mieux leur équilibre général s'en portera par la suite.

## 4. Les enjeux de chaque âge

❖ *DE 0 A 1 MOIS : AGE LUNAIRE*

Age important, pendant lequel l'enfant n'a pas conscience d'exister en dehors de l'enveloppe matricielle et vit encore au rythme utérin, surtout pendant les trois premières semaines de sa vie (âge néonatal).

Pour l'enfant Bélier, cet âge est très délicat car, analogiquement au type d'énergie qui l'anime, l'état de dépendance totale et d'amorphisme lié à ce stade n'est pas pour lui convenir. A ce niveau, le rôle de la maman est extrêmement délicat. Les petits Béliers sont souvent nerveux au cours de cette période, régulièrement perturbés vers l'heure fatidique (et typique de cet âge) de 18 heures ; il est important de bien s'en occuper pendant ce temps pour que les angoisses qui y circulent s'épuisent et disparaissent à partir du deuxième mois.

S'occuper d'un bébé Bélier n'est pas comme s'occuper d'un bébé Taureau par exemple, c'est-à-dire qu'il apprécie plus le calme et la tranquillité dans un lit bien indépendant que d'être tout le temps collé contre sa maman. Bizarrement, comme le petit Gémeaux, il supporte bien les voyages, déplacements, musique et transports qui ne l'empêchent pas de dormir et le rendent plutôt réceptif. Il est surtout important, en fait, puisque la confiance va constituer sa pierre de touche, de ne pas le laisser pleurer dans son coin ni de le priver de contacts sous prétexte qu'il est bébé. Le groupe et la participation sont primordiaux pour un Bélier, dès la naissance.

### ✧ DE 1 A 3 MOIS : AGE MERCURIEN

C'est un stade d'évolution par rapport au stade réflexif précédent. Les premiers facteurs qui témoignent de son besoin de contact avec l'extérieur sont la musique et les formes au-dessus de lui. Veillez à ce que celles-ci soient harmonieuses et adaptées pour ne pas agresser l'oreille fragile du petit Bélier.

N'oubliez jamais, cependant, que la musique est un élément toujours important dans l'univers du Bélier (1).

### ✧ DE 4 A 8 MOIS : AGE VENUSIEN

C'est l'âge de la découverte de son propre corps, ce qui constitue la première preuve de son existence propre en dehors du corps maternel. Il est essentiel d'apprendre à l'enfant Bélier que son corps existe et qu'il faut le respecter, l'aimer et l'aider car il est un instrument précieux, source de dynamique mais aussi source de plaisir donc de vie.

La façon dont la maman va aimer et appréhender le corps de son enfant est ici essentielle : jeux d'eau,

---

1. Voir, du professeur Alfred Tomatis : *L'Oreille et l'audition* (Robert Laffont).

≈ ♓ ♈ ♉ ♊ ♋ ♌ ♍ ♎ ♏ ♐ ♑

Thème de naissance illustré en astrologie arabe (*Traité des nativités d'Albumazar,* XIIIᵉ siècle).

(Bibliothèque nationale, Paris.)

câlins, massages mais aussi roulades et premiers petits exercices de mobilité sont importants, et le petit Bélier s'y prête avec beaucoup de plaisir.

### ✧ 8 MOIS : L'ANGOISSE DE LA SOLITUDE

Étape d'individualisation essentielle et inévitable pendant laquelle l'enfant découvre que sa mère existe même en dehors de lui, ce qui signifie qu'il est un individu solitaire. Tous les parents savent aujourd'hui que cette étape est primordiale et on l'applique dans les crèches et les lieux paramaternels en ne prenant pas les enfants qui n'y ont pas été intégrés avant. Dans l'inconscient du petit Bélier, c'est une étape heureuse parce que d'une certaine façon libératrice, mais qui peut aussi se manifester par une nervosité encore plus marquée, une fermeture à l'égard de l'extérieur.

Il faut être vigilant aux crises de larmes, aux otites, aux angines qui se manifestent à ce stade. Il semble peut-être repousser sa mère, mais il en a encore plus besoin et il faut l'amener à passer ce cap en douceur, sans quoi on se retrouve avec un enfant qui utilisera ses forces dans un sens agressif et destructeur.

### ✧ DE 8 A 18 MOIS : AGE SOLAIRE

Prise de conscience par l'enfant de son image et de sa légitimité à exister tel quel (âge « du miroir »). Il a besoin de papa pour lui dire – implicitement – qu'il est *« beau et fort, et qu'il peut marcher droit tout seul »*. Du coup, il se met debout et fait ses premiers pas… Si ce discours-là ne passe pas, si l'image paternelle est ternie pour une raison ou pour une autre, les fragilités affectives et le besoin – maladif – de reconnaissance n'en seront que plus accentués. Pour l'enfant Bélier, cette période est très structurante et va profondément marquer son développement futur et colorer son type d'intégration dans la société : *dans la loi* si l'image du père est fondatrice, *hors-la-loi* si l'image du père est déficitaire ou négative.

### ❖ *DE 18 MOIS A 3 ANS : AGE MARTIEN*

Il existe et il l'affirme, au besoin en s'opposant, cassant, mesurant ses effets sur l'environnement mais aussi en maîtrisant son corps par l'apprentissage de la propreté. Il pique des crises et se lève fréquemment la nuit pour rejoindre maman ; il est systématiquement attiré par l'extérieur, demandant à avoir des contacts autres que familiaux. D'abord l'inscrire à la maternelle ou dans une halte-garderie au plus vite et favoriser au maximum sa sociabilité innée est très positif. Mille activités l'intéressent et cet âge est un vrai plaisir pour cet enfant. Il parle comme un moulin et discute avec les passants, ce qui fait rire tout le monde.

Mais quel colérique et quelle boule de feu qui épuise l'entourage ! *Moderato,* ne pas trop le gronder ni le frustrer, mais canaliser au maximum son agressivité et la désamorcer s'imposent. N'oublions pas que son comportement type de l'âge adulte sera, en gros, calqué sur sa manière d'être à ce stade de développement : alors observez-le bien !

### ❖ *DE 3 A 7 ANS : AGE JUPITERIEN*

La socialisation se fait et l'enfant Bélier s'intègre dans sa scolarité avec un plaisir indéniable. Enfin il est grand, court vers l'école et tombe amoureux de sa maîtresse ! Classique ! Les copains, les cours, la récré, le centre aéré du mercredi et les copains le week-end… le petit Bélier refuse d'être seul et le dit. Son intelligence est vive, rapide, claire et sa curiosité fait le reste. Le problème, avec lui, est au niveau de la discipline. Attendez-vous à mille épisodes à ce sujet, mais ne vous mêlez jamais des punitions qu'il peut subir pour manque de discipline. Il assume ! L'école est un apprentissage de la loi et de l'ordre dont il a toujours besoin.

Par contre, effectivement, s'il se sent injustement puni ou trop brimé, il en sera touché au plus profond et pourra réagir par un refus d'étudier. Etre aimé et admiré lui donne des ailes ; être remis en question sur le plan affectif les lui coupe complètement. Apprenez-lui à relativiser et à comprendre qu'il fait les choses pour lui et non pas pour la « galerie » ou pour que les copains, les copines ou la maîtresse l'aiment. Enfin… pas seulement.

### ✧ *L'ADOLESCENCE*

La façon dont il a vécu les âges solaire et martien va se manifester ici. Contrairement à ce qu'on savait de lui jusque-là, le Bélier peut connaître une période – saturnienne – entre 12 et 14 ans, plutôt introvertie et renfrognée, complexée et auto-agressive. Il ronge son frein et, pour la première fois de sa vie, fait face à une prise de conscience liée à la nécessité de travailler, de se structurer et d'orienter sa vie. L'insouciance et le dynamisme premier qui le caractérisaient ne le portent plus autant, et il se trouve maintenant aux prises avec des interrogations affectives et sexuelles assez violentes. L'accompagner avec lucidité et humour va décider de son intégration future.

Ses forces propulsives reviennent vers 16 ans et connaissent une belle poussée constructive vers 21 ans.

# VIII

# Les parents Bélier

## 1. Maman Bélier

La question de la maternité n'a jamais empêché Mme Bélier de dormir, car se faire reconnaître par la société comme mère ou comme épouse est rarement dans l'ordre de ses priorités. Ses valeurs seraient essentiellement celles des hommes : courage, dynamisme, performance, compétitivité, et son intérêt premier va plutôt vers un long parcours de golf que vers un après-midi de pouponnage. Cependant, dans son parfait parcours de « challenge woman », il arrive parfois des « accidents », aussi voulus et programmés soient-ils.

Finalement, elle regorge de tendresse et d'affectivité – même menées à un rythme trépidant ; alors, qui en faire bénéficier, sinon un enfant ? Qu'il soit de son « ventre » ou pas n'est d'ailleurs guère primordial, car les liens de chair ne lui apparaissent jamais comme essentiels. La grossesse est d'ailleurs une période qui lui pèse, tant elle exècre être ainsi lourde, molle et tellement moins aventureuse qu'à l'ordinaire. Elle s'occupe moins de la layette que des modalités d'inscription dans les grandes écoles qui focalisent toute son attention, car maman Bélier préférera toujours entretenir avec son enfant des rapports d'adulte à adulte et attend qu'il grandisse pour que ces relations soient meilleures… c'est-à-dire moins pesantes pour elle. Elle se sent plus une mission d'éveil et d'incitation que de protection douce et enveloppante.

Alors, si la maternité ne semble rien lui apporter, que lui procure-t-elle donc ? Tout, justement ! Ou, en d'autres termes, l'ébahissement et l'émerveillement, la découverte d'une partie d'elle-même totalement inconnue et encore plus que cela ne l'est pour d'autres femmes. Contrairement à d'autres qui vivent leur maternité comme un épisode inscrit dans leur féminité consciente, pour elle qui n'y pensait jamais un bébé arrive véritablement comme la huitième merveille du monde, comme une révolution cellulaire presque alchimique. D'un coup, Mme Bélier retrouve les valeurs – généralement tant refusées – de sa propre mère et se réconcilie avec elle-même en découvrant qu'elle n'est pas qu'un « garçon manqué »… La voilà qui réalise qu'il lui reste du temps pour inaugurer d'autres activités, et que l'on peut vivre en pensant à très long terme.

C'est cela, sans doute, qui représente la plus grande révolution : elle, qui vivait au jour le jour, se retrouve à voir la vie sur plusieurs décennies, sinon à comprendre d'un coup – comme une révélation – qu'une part d'elle-même se perpétuera dans l'éternité. C'est cette notion d'éternité qui sépare irréversiblement ceux qui ont des enfants et ceux qui n'en ont pas : la femme Bélier rejoint le club en traînant les pieds et avec une sorte de blues à l'âme initial avant d'y percevoir le chant d'une paradoxale liberté… Cela est heureux car, sinon, elle risque de faire payer cher à ses enfants – par la nervosité et l'autoritarisme – les restrictions et limitations que la maternité semble lui apporter.

## 2. Papa Bélier

Porté par son signe fondamentalement engendreur et initiateur, papa Bélier est foncièrement procréateur. Un enfant incarne exactement la façon dont il conçoit la vie en jouant sur son enthousiasme sans mesure pour tout ce qui démarre. Tout beau, tout nouveau, intact et pur, rien dans cette vie terrestre ne peut autant le réconforter, porter autant d'espoirs et donc décupler ses énergies… à part, peut-être, l'idée d'une nouvelle entreprise, d'une nouvelle amitié, d'un nouvel amour ou d'une nouvelle œuvre, sachant qu'un enfant symbolise tout cela à la fois en touchant droit à son talon d'Achille : le cœur.

Un autre aspect de la paternité Bélier doit être dévoilé ici : il éprouve un énorme respect pour la fonction maternelle qu'il divinise et idéalise très facilement. L'homme Bélier est moins un admirateur de la femme – qu'il a tendance à considérer sous son angle d'amante avec un rien de machisme – qu'un véritable défenseur des futures mamans auxquelles il n'est pas loin d'attribuer une auréole de divinité… Il en va ainsi des hommes très virils qui sont émus par les choses les plus simples et les plus basiques. On le verrait bien comme ces caricatures de gros durs portant, tatoué sur leur cœur : « *A maman pour toujours !* »… Même si cela s'exprime avec de la provocation ou du cynisme, sachez bien qu'il est touché au plus profond de lui-même par l'image du couple maman-bébé qui réveille et justifie son côté Tarzan…

Cette caractéristique en engendre une autre : la pre-mière phase de la paternité – phase qui est surtout une maternité et qui va de la grossesse de l'épouse au moment où un rapport direct s'établit entre le père et l'enfant – le remplit d'admiration mais aussi de jalousie, de désir de reprendre sa place d'amant et de brusquer le détachement de l'enfant à sa mère, surtout s'il s'agit d'un garçon. Cela est vrai pour beaucoup d'hommes, mais surtout pour lui qui est un prototype de l'éternel masculin. Il n'est pas rare qu'il pense, justement à ce moment, à épouser la mère de son enfant, soucieux que la « propriété sociale » de la chose lui revienne.

Mais, ici comme en d'autres domaines, il ne résiste que rarement à aller voir plus loin. Ses rapports avec ses enfants deviennent des rapports de grandes personnes entre elles ; il n'aime pas qu'ils lui collent aux jambes et développe, au passage, leur sens de la responsabilité et de l'indépendance. Il fait un père présent, souvent autoritaire et sévère, qui pense beaucoup à l'éducation physique et à la force de caractère de sa progéniture. La maman assure le reste : vie affective et gestion du quotidien. Dans sa conception du monde, la place de l'homme est à l'extérieur et il s'empresse de réaffirmer son individualité en redevenant amant, copain, sinon père et mari… ailleurs !

Le célèbre astrologue arabe, Albumazar, fut le premier à établir une distinction entre l'influence des planètes et celle des étoiles fixes.

(Manuscrit du XVe siècle ; Bibliothèque nationale, Paris.)

# IX

# Rencontre avec le sacré en soi

## 1. Les rapports entre astrologie et religion

Quelques rappels historiques sont ici nécessaires afin de mieux appréhender les rapports existant entre l'astrologie et l'Église chrétienne, en particulier occidentale. Dans toutes les civilisations, l'astrologie peut être considérée comme la base initiale de la religion, car elle représente le premier lien **conscientisé** et **organisé** de l'homme avec « le toujours plus grand que lui », la Loi cosmique qui a successivement pris tous les noms de Dieu et dont le message – le Verbe – redescend jusqu'à l'homme. Cela dit, les débuts du christianisme catholique – plus encore que l'avènement du bouddhisme ou de l'islam, et différemment de la tradition juive ou d'anciens textes comme le Talmud ou le Zohar – ont rompu avec l'astrologie, dénoncée en regard de ses origines « païennes » et accusée de supplanter Christ, seul détenteur du « destin » des âmes incarnées sur Terre…

Néanmoins, les liens entre l'astrologie et le christianisme sont inhérents aux **symboles de Lumière et de Verbe qui leur sont communs.** Sans développer ici la richesse de ces liens (1) qui témoignent judicieusement de l'**éternité** et de l'**universalité** des principes

---

1. Voir, de Eugène Brunet : *Dieu parle aux hommes par les astres* (Editions Montorgueil).

Les douze étapes de l'évolution de l'homme représentées par les douze branches de l'Arbre de vie, la figure du Christ étant l'image de la transformation intérieure. Ces douze branches – ou étapes – sont en correspondance avec les douze signes du zodiaque et sont structurées deux par deux, en six niveaux, tout comme l'astrologie est structurée en six axes. Sur chacune des branches, on retrouve les pieuses observations des Ecritures (*l'Arbre de la vie de l'homme,* gravure de John Goddard, 1649).

immuables de la structure de l'imaginaire humain, nous tentons d'aborder les analogies qui existent entre les signes du zodiaque et les différentes figures centrales du christianisme. Nos églises et nos cathédrales nous fournissent des milliers d'exemples de ces associations fondamentales à travers les bas-reliefs, les vitraux, les sculptures… et nous en avons extrait ici quelques représentations.

Cela est d'autant plus important pour les signes fixes (Taureau, Lion, Scorpion et Verseau) qui sont clairement cités dans leur analogie aux quatre vivants de l'Apocalypse, tandis que le signe du Poissons (symbole du christianisme) est, quant à lui, présent dans la géographie sacrée des sept églises chrétiennes d'Asie, dont le plan au sol reflète la figure de la constellation stellaire du Poissons… elle-même liée dans le ciel – et dans le symbolisme astrologique – à la constellation du Crater, la coupe (le Graal) analogique au signe de la Vierge. N'oublions pas, non plus, l'analogie entre ce signe et le réceptacle géographique de Christ – Bethléem (« Maison du Pain ») – pointant le devoir de Marie de **recevoir, nourrir puis restituer le Fils au Père,** d'être terre d'accueil mais surtout de passage, cathédrale pour **accomplir l'Epiphanie, ce lien entre Réception et Résurrection** si cher à la tradition orientale.

Si cela est tout particulièrement pointé dans le signe de la Vierge (signe de l'éternel humain…), c'est qu'il demeure au cœur des liens entre minuscule et Majuscule, entre temporel et Eternel, entre humain et Divin. L'astrologie participe donc de l'*anacrise* (2), ce désir fou et spécifique de l'être humain d'**établir un dialogue construit entre sa part terrestre et sa part**

---

2. Voir, de Robert Amadou : *L'Anacrise/Pélagius* (Carisprit).

**angélique** et, en ce sens, monter un thème astral revient à **parier sur la capacité humaine à intercepter un instant d'éternité.**

C'est ici que se pose, selon moi, la question clef de l'astrologie : *avoir trouvé la technique qui permet d'intercepter cette part d'Ineffable autorise-t-il à penser que l'on y participe pour autant ?* Ou que, pire encore, on la maîtrise ? La réponse ne peut venir que du cœur et des rapports intimes que chacun entretient avec la Foi. Mais, dans tous les cas, la miséricorde et l'Amour divins sont immenses…

## 2. Ambiguïté de l'Eglise chrétienne d'Occident

La Bible – comme tous les textes sacrés, comme l'astrologie et comme les symboliques de toutes les traditions – est en base 12. D'autre part, la tradition mystique nous présente saint Jean comme un prophète-astrologue, ce qu'étaient les apôtres ainsi que les Rois mages. Mais que sont-ils tous, sinon des messagers de la Lumière, cette Lumière que nous savons aujourd'hui lire dans sa réalité biophysique ? Peut-être qu'à la fin du XX$^e$ siècle, grâce à la jonction du savoir scientifique infiniment développé et de la connaissance symbolique et mystique ancestrale, l'humanité est enfin sur le point de comprendre l'unité des énergies de l'univers ?… Libre ensuite à chacun de retrouver cette unité avec l'aide de Dieu, quel que soit le nom qu'il lui donne…

Si l'astrologie est donc l'une des courroies de transmission du message lumineux, les quatre signes fixes y sont les quatre messagers désignés, de par leur analogie avec les quatre vivants de l'Apocalypse de saint Jean. En effet, après son exhortation aux sept églises, symbole de la Jérusalem céleste, saint Jean raconte sa vision du trône de Dieu, c'est-à-dire textuellement « *la façon dont le trône de Dieu lui est révélé* » (le mot mal interprété d'Apocalypse signifiant « Révélation ») :

— Sur le trône, quelqu'un (Christ sur son trône ou dans les mandorles au sein desquelles il est représenté sur les frontispices et les portails de nos églises).

— Autour, les vingt-quatre vieillards (les ancêtres).

— Encore autour, les sept esprits de Dieu (les sept énergies, les sept couleurs de la lumière solaire, les sept notes de musique avec l'exactitude des correspondances énergétiques que l'on retrouve dans les chants grégoriens, nos sept planètes majeures de l'astrologie…).

Enfin, les quatre vivants (les quatre survivants, en fait, qui ont pour mission de transmettre le Verbe, la révélation de l'Apocalypse) qui sont les quatre évangélistes :

— **Le premier vivant est comme un lion ;** c'est saint Marc associé au signe du Lion, prophète « militant » dont les coptes se réclament, dans la droite ligne des enseignements des Pères du désert.

— **Le second vivant est comme un jeune taureau ;** c'est saint Luc associé au signe du Taureau, signe du désir de Création dont l'enjeu terrestre sera d'accéder au Verbe déposé dans sa chair, après avoir déblayé la matière qui le protège, ou l'opacifie…

— **Le troisième vivant a comme un visage d'ange ;** c'est saint Matthieu associé au signe du Verseau, pédagogue du Verbe et réconciliateur de l'homme avec sa part divine.

— **Le quatrième vivant est comme un aigle en plein vol ;** c'est saint Jean, associé au signe du Scorpion, auquel correspond l'emblème de l'aigle dans la Tradition et dont les capacités transmutatoires ouvrent sur la révélation et la possible résurrection.

La transmission de l'Orient devient d'autant plus intéressante qu'on se souvient que ces quatre figures centrales du taureau, du lion, de l'aigle et de l'homme, représentant les quatre éléments Feu, Terre, Air et Eau, se retrouvent dans la carte du tarot le Monde, comme elles sont aussi réunies dans le symbole du Sphinx, archétype du secret, signe de la présence du message divin universel sur Terre... Il n'en reste pas moins difficile pour tout un chacun de retrouver son « bout de Sphinx » en lui-même. Disons simplement qu'une lecture astrologique – par un astrologue *qui joue véritablement son rôle d'évangéliste* – y aide... Savoir ce qu'on en fait, et comment on va être capable de le faire, est une question humaine, psychologique, socioculturelle et contingente qui, en tant que telle, n'appartient plus à l'astrologie...

## 3. Le sens du sacré selon le Bélier

Nous avons vu que les caractéristiques de projection, d'initiation et d'engendrement du Bélier en font un missionnaire parfait, y compris au sens spirituel ou religieux du terme. Tous les prophètes de l'humanité sont d'ailleurs de ce signe, ce qui les met en analogie parfaite avec leur **rôle de porte-flambeau,** porteurs de la grande lumière universelle et responsables du type de clarté qu'elle diffuse sur la terre.

Cette idée de *mission* et d'*initiation* est toujours présente, avec plus ou moins de force et plus ou moins d'évidence pour les gens du signe, adjointe à une profonde analogie avec l'idée de la justice qu'ils sont sensés défendre, sinon personnifier sur terre. Mais de quelle justice, de quelles lois parle-t-on, sinon de la Justice divine et de la Loi cosmique dont le Bélier est,

Le Christ, le Soleil, la Lune et les quatre évangélistes qui
vont raconter leur Apocalypse, leur Vision. Du Livre d'Enoch
à la Bible, on conserve la tradition ésotérique. Dans la Bible
elle-même, les références astrologiques existent :
Deut., XXXIII, 14 ; Jug., V, 20 ; Ps., XIX, 3 ;
Dan., IV, 26 et V,4 ; Matth. II, 2 et XXIV, 29 ; Apocalypse.

par excellence, l'instrument d'accomplissement. *« Oh ! Dieu, tu m'as fait puissant et solitaire ! »*, s'écrit Moïse ; tout est dit dans cette invocation suppliante qui exprime l'intensité et la difficulté de la mission confiée, et au cours de laquelle Moïse n'a aucun droit d'échouer, pas plus que Noé, Abraham ni Mahomet…

En analogie avec le signe de la Balance qui le complète et qui est, alors, le signe de mise en action et de réalisation de cette Loi cosmique, puisque la Balance est Maât (déesse égyptienne chargée de juger les âmes au moment de leur passage, et qui renvoie à la figure de Proserpine, femme de Pluton, dans la mythologie gréco-romaine), le Bélier est celui qui met en branle les forces d'accomplissement de la Loi cosmique sur terre, qui se déroulera jusqu'au signe de la Balance, stade du passage de visible et terrestre en invisible et spirituel à travers l'étape transmutatoire du Scorpion. On dira que ce qui commence au Bélier s'évacue en Scorpion grâce à la Balance, donc que **le Bélier porte sur terre le flambeau du divin** jusqu'au moment où il passera le relais au Scorpion… Le feu spirituel existe véritablement à son niveau cosmique à partir du Sagittaire. On voit combien le processus est long et comme le Bélier en porte tous les prémices.

De plus, et ceci est bien rappelé dans la façon dont la Tradition décrit Moïse, celui-ci a pour mission de faire triompher le Soleil et les valeurs du monothéisme parti d'Egypte puis « transporté » sur les rives de la mer Morte du pays d'Israël. Moïse effectue le passage du lunaire au solaire, du matriarcat au patriarcat, des cultes du multiple à la foi en l'Unique. Faire triompher le Soleil, Dieu le Père, porter le flambeau de la Lumière universelle… les liens symboliques du signe du Bélier avec le sacré demeurent essentiels et fondateurs.

Est-ce à dire que tous les natifs du signe sont conscients de la flamme qui les anime et qu'ils parviennent d'emblée à l'accomplissement parfait de leur mission ? Certes pas. Le Bélier est bien inscrit dans le terrestre et le physique, et sa grande tâche est déjà de parvenir à faire son travail convenablement et jusqu'au bout, et surtout à dépasser le seul sens obtus de son ego… Les propos d'Alice A. Bailey sont à ce niveau bien éclairants (voir chap. II). Beaucoup se contentent d'être *« portés par une flamme »*, même s'ils n'ont pas du tout conscience de la qualité cosmique du bois dont ils se chauffent…

En fonction du plan de conscience suivant lequel ils vivent les choses, et suivant le degré de détachement passionnel qu'ils ont atteint, ces natifs peuvent foncer dans le tas sans jamais percevoir les raisons qui les font foncer ni le type de matière qui constitue le tas en question, soit, au contraire, identifier leur flamme et utiliser alors leur force physique et leur fougue morale à des fins humanitaires en harmonie et en conformité

Bas-relief de la cathédrale d'Amiens, représentant les signes du zodiaque.

avec la Loi cosmique qu'ils ont mission de faire s'accomplir. A travers eux la justice prévaudra ou, du moins, devrait prévaloir. Reste à savoir dans quel type d'action terrestre ils sont prêts à s'engager pour cela, et s'ils n'en resteront pas simplement au fait de « casser la gueule » à quiconque, ce qui ne va pas dans le sens de leur propre définition du bien… Il y a quelque chose d'originel dans la façon dont **le Bélier se sent convié à lutter pour les forces du bien.** Malheureusement, fourvoyé ou déçu, il peut tomber du côté de son versant destructeur et se retrouver missionnaire des forces du mal, en toute bonne foi…

Tout est affaire d'éducation, d'éveil et de conscience. Tout est affaire d'Amour finalement. **Le désir qui anime l'homme est la marque de Dieu dans sa chair.** Mais il peut aussi n'être que la marque d'une sexualité pulsionnelle et limitée, d'un aveugle besoin de pouvoir.

Le Bélier quant à lui – et même lui – connaît les lois de Dieu qui sont Dieu. Il veut bien en être l'instrument et sortir sa tête du rang pour les défendre, quitte à être décapité, mais il demande toujours qu'on lui laisse le libre choix de ses armes, du guide (mais aussi des têtes de Turc) auxquels il se référera. Il est donc bien difficile de lui faire intégrer une Eglise ou un culte unique. Il débute chaque engagement comme s'il était définitif et exclusif et comme s'il était décidé – au niveau cosmique – qu'il devait dédier sa vie entière à cette cause… A condition qu'il puisse changer de mission, de culte ou d'Eglise en cours de route !

Mais, à travers ce que l'on a dit plus haut, peut-on encore imaginer que le Bélier, à ce point propulsé par une main invisible et à ce point inconscient de l'être, ait véritablement le choix ?…

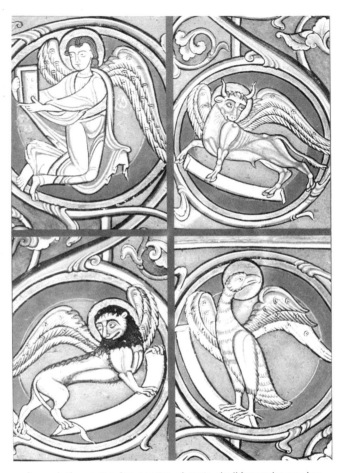

Association entre les quatre vivants de l'Apocalypse, les quatre éléments et les quatre signes fixes du zodiaque : Taureau (Terre) – Lion (Feu) – Aigle-Scorpion (Eau) – Homme-Verseau (Air), que l'on retrouve ainsi associés dans le principe du Sphinx.

(Manuscrit du XVe siècle ; Bibliothèque nationale, Paris.)

# Conclusion

Connaître son signe solaire est toujours utile et important : c'est une **première approche** sur le chemin de la découverte et du développement de soi. Au rang des outils qui favorisent cette analyse intérieure et permettent une connexion avec l'Eternel en nous, l'astrologie a pour elle le mérite, la sagesse et la validité des siècles. Elle donne tout son sens à la phrase de Clément d'Alexandrie : *« Le cheminement vers soi-même passe par les douze signes du zodiaque. »*

Nous avons tenté de condenser ici le maximum d'informations de qualité pour vous permettre de franchir cette première étape. Vous savez à présent que **nous portons en nous une certaine palette de signes différents,** qui influent sur nous en synergie, et que nous ne sommes pas marqués uniquement par notre seul signe solaire. Loin s'en faut ! Alors, si rien ne remplace une consultation chez l'astrologue, il reste très important de découvrir ses propres dominantes : le signe de l'ascendant et de la Lune puis, dans un second temps, ceux des autres planètes marquantes dans son thème. Il est important aussi de se référer aux signes de ses proches, famille, amis et relations professionnelles pour mieux les comprendre, les aimer, les respecter afin d'évoluer ensemble dans l'harmonie.

Les **autres ouvrages de cette collection,** en vous faisant découvrir vos autres facettes cachées, en découvrant vos fonctionnements profonds et ceux de l'*autre,* favoriseront la tolérance, l'amour et l'échange. En attendant, nous espérons que la lecture de ce premier signe vous aura donné envie de découvrir les autres…

# Table des matières

Imprimé par CLERC S.A.
18200 St-Amand-Montrond (France)
pour le compte des EDITIONS DANGLES.

Dépôt légal éditeur n° 2366 – Imprimeur n° 7328
Achevé d'imprimer en janvier 2001.